KB082268

百濟
동아시아 대왕 근초고
윤영용
East Asian Great King
Geunchogo

동아시아 대왕 근초고 10

발 행 | 2024년 4월 20일
저 자 | 윤영용
펴낸이 | 한건희
펴낸곳 | 주식회사 부크크
출판사등록 | 2014.07.15.(제2014-16호)
주 소 | 서울특별시 금천구 가산디지털1로 119 SK트윈타워 A동 305호
전 화 | 1670-8316
이메일 | info@bookk.co.kr

ISBN | 979-11-410-8184-3

www.bookk.co.kr

동아시아대왕

근초고

윤영용 지음

天 하늘과

전쟁은 그렇다. 유리하다고 유리한 것이 다 아니다. 약점이라고 해도 다 약점이 아니다. 대방 부여국 왕을 자칭(自稱)한 여현은 그리 생각했다. 비록 수군은 약체지만 그 수군으로 요하 하류를 막고, 강을 지나는 거점에 있는 평곽성을 활용하면 백제 수군을 섬멸할 수 있다. 요하 하류로 들어서지 않으면 겨울 바다에서 얼어붙을 수도 있다. 상륙해봤자 기껏 일, 이만이다. 그렇게 생각했다. 특히, 평곽성은 바다를 접하고 있어 방비만 잘하면 쳐들어오기가 불가능하다.

불가능-

의옥조옥(倚玉雕玉). 남의 옥을 빌려 내 옥을 다듬는다. 상대의 이점이나 환경을 이용하여 힘을 도모한다. 상대가 월등히 강하거나 우월한 환경을 가지고 있으면 그 힘에 편승해야 한다. 공심위상(攻心爲上). 마음을 공략하는 것이 상책이다. 전술 중의 최상의 전술은 곧 적의 마음을 공략하는 것이다. 싸우기 전에 마음이 꺾인다면 승부는 이미 난 것이나 다름없다. 지장(智將)일수록 심리전에 치중한다.

질린다-

7백여 척의 배가 요하 하구에 펼쳐졌다. 깃발이 나부끼자 그야말로 장관이다. 평곽성에서 여현은 그 함선들을 보면서 색다른 풍치와 긴장감을 느낀다. 저 배들이 요하 강을 거슬러 올라가려면 평곽성을 지나야 한다. 그러면 평곽성에서 불화살과 석뇌, 노(弩) 등으로 일거에 작살을 내리라. 여현은 고구려 장수 하우창(夏雨昌)과 그 부하들을 불러 전쟁 전에 결의를 다지고 있었다. 고구려군은 미천왕이 모용황에게 당한 이후 연나라와의 전쟁을 외형적으로는 피하고 있었다. 지금도 고구려군은 유민으로 가장(假裝)해서 대방 부여국을 지원하고 있었다.

다 모였다-

모용각 군대는 막혔다. 대방 부여국 왕 여현은 계획대로 대방 북부지역에서 연나라의 맹장으로 불리던 모용각을 막는 데 성공했다. 그리고 모용황은 보급이 끊긴 채로 요하 하구까지 유인되고 있었다.

인량우적(因糧于敵). 적지, 즉 대방에서 추수한 곡식을 징발할 생각일 것이다. 식량을 적의 땅에서 취한다. 이렇게 함으로써 군량미 운송의 근심을 덜고 더불어 적지를 짓밟아 힘을 약화시키게 되니 일거양득의 효과를 얻게 되는 것이다. 뭐 이런 병법으로 쳐들어왔을 것이다. 그렇게 대방 부여국 왕 여현은 생각했다. 그래서 길어봤자 삼 개월이라고 이 전쟁 기간을 가늠해 놓았다. 이제 한 달 만 버티면 추워지기 시작한다. 이것이야말로 유적심입(誘敵深入)이 아닌가.

모용황. 늙은 여우가 쉽게 끌려 들어왔다. 이 전쟁은 대방 부여국에 유리하다. 하늘의 천시(天時), 땅의 지리(地理)… 이제 기다리기만 하면 된다. 무릇 전쟁에서 유리한 지형이나 환경을 조성하는 것이 얼마나 중요한지. 개도 제집 마당에서는 꼬리를 치켜드는 법이다. 대방 부여국 왕을 자칭한 여현은 삼면이 강과 바다와 접해 있는 평곽성의 접근로를 더욱 철저하게 방비해 놓았다.

"정말 사용하실 셈입니까?"

다소 의외다. 평소 근초고 여구와 다르다. 그리한다고 했다. 고구려군과 대방 부여국에 확실하게 보여 줄 것이라고 했다. 일시에 총력전이라고 했다. 전 화력을 집중한다고 했다. 전 병력이 상륙 준비를 하라고 했다.

고구려의 뒷목을 쳐야 했다. 칠백의 함선 중에서 나주벌의 상륙함선 백여 척이 돌아갔다. 그 모습에 평곽성이 긴장했다. 왜? 어디로 이동하는지 의아했다. 멀리 배가 떠나자 다른 배들이 움직인다. 백여 척은 고구려 기병의 배후인 요동 포구로 돌아갔다.

이제 준비하라-

특수전투선. 나주벌에서 5년이 걸려서 건조되었다. 오로지 새로운 해전을 위해서 만들었다. 돛을 다 내린 전함들은 노를 저어 평곽성 삼면을 둥글게 포위하듯 둘러섰다. 평곽성에서 석뇌 몇 개씩을 날려보았다. 아직 사거리가 안 되었다. 칠백 보는 넘어 보였다. 석뇌의 사거리는 사, 오백 보정도였다. 거리를 재고 있었다.

"저게 뭐지?"
"뭐야? 뭐하는 거야?"

평곽성의 병사들도, 대방 부여국 왕 여현도 그렇게 보았다. 모용황은 지난날 모용각이 서 있던 요하 하구 강변 언덕에서 바다를 바라보고 있었다. 그도 이상했다. 여구의 함선 중에 이상하게 생긴 일백여 척이 그렇게 이상한 대열로 평곽성을 에워싸고 있었다. 그리고 뭔가 날아간다. 겨우 한둘씩. 어떤 것은 성곽 벽을 맞고, 어떤 것은 육지에 닿지도 않았다. 그것이 몇 번씩 반복되더니 한 개, 두 개씩 평곽성 내로 떨어진다. 그렇게 떨어지고 지나가고 넘어도 갔다.

부우-

고(鼓). 신호가 울렸다. 해안은 큰 만(灣)이다. 바람이 없어 더 좋았다. 한낮을 골랐다. 그래야 불이 잘 보이지 않았다. 불이

번지기에 좋은 날이다. 근초고 여구는 연희여황과 태자 귀류, 유현과 함께 평곽성을 바라보고 있었다. 태양도 이용해야 했다. 태양을 이용하는 것이 더욱 효과적인 그런 청명한 날씨였다. 근초고의 신호가 올랐다. 근초고, 그는 태양 왕이었다. 근초고의 칠성검이 높이 들려졌다. 칠성검이 태양빛을 받아 찬란한 빛을 내었다. 마치 빛의 신이 근초고에게 내린 것처럼 보였다. 빛의 검을 든 근초고를 근초고 부대도, 대방 부여국 왕 여현도, 평곽성의 고구려 장수들도, 저 너머 언덕 위의 모용황도 보고 있었다. 그 빛. 천신이 내려온 듯 했다. 번쩍거리는 그 빛의 검이 힘차게 휘둘려졌다. 번쩍!

공격하라-

여수(餘水)의 지휘로 수군의 공격명령이 각 전투함에 전달되었다. 그리고 잠시 후, 연이어 북소리가 우렁차게 들리기 시작했다.

불-

유화과(油火果) 화과탄(火果彈)이었다. 여구가 열도에서 그리도 만들려고 했던 그 화과탄. 그것을 날릴 투석기(投石機)가 열

대씩 장착된 전투함 백 척이 먼저 나섰다. 배의 상판은 흙과 석회로 칠해져 있었다. 화과탄(火果彈)을 발사하는 실험에서 계속 실패해온 것이 불이다. 적을 향해 화과탄을 날리기는 쉬웠다. 그러나 발사하다가 배에 불이 나는 것이 문제였다. 그 문제 해결이 가장 어려웠다. 오행(五行) 상생(相生) 상극(相剋)의 원리를 알아내기까지 실패에 실패를 거듭했다. 답은 흙이었다. 토극화. 토(土)도 화(火)를 막는다. 흙물은 기름불을 끈다. 그 흙과 석회를 이용해 배의 상갑판을 짰다. 흙으로 토기 판을 만들고 그 토기 판에 진흙과 석회를 섞어 붙였다. 그리고 그 위에 다시 진흙을 깔았다. 그래서 배의 상갑판이 기름불에 타지 않게 했다. 또 만약을 위한 진흙물도 마련해 두었다. 불이 나면 즉시 꺼야 했다. 불똥이 자주 튈 수밖에 없었다. 오랜 연구 끝에 화과탄 발사대는 점점 개량되어 천오백 보, 이천 보 넘게 되었다.

한 시진 동안 한 개의 발사대에서 보통 30개 정도를 날릴 수 있었다. 한 척에 열 개의 발사대가 있었다. 백 척이면 열 개씩, 한 번에 천 개. 한 시진에 3만 개의 화과탄(火果彈)을 투하할 수 있었다. 화과탄. 사과같이 생긴 옹기에 기름과 불 심지가 들어 있었다. 불을 붙여 발사하면 불이 붙은 채 떨어져 옹기는 깨지고 기름이 번지면서 불이 퍼진다. 화과탄(火果彈) 1개는 사방 한 보 정도를 불태웠다.

기름불덩이들-

하늘이 온통 깁었다. 돌도 아닌 것이 하늘을 날아서 평곽성을 덮쳤다. 하늘에서 떨어진 그것은 퍽퍽 터졌다. 곧 기름불덩이다. 불이다. 평곽성 전체가 불바다가 되는 것은 불과 두 시진이면 충분했다. 성곽은 불타올랐다.

둥둥-

북소리에 한 시진 정도 휴식이 있었다. 그 사이 불지옥을 경험해야 했던 대방 부여군과 고구려군은 평곽성을 어떻게 빠져나가야 할지도 몰랐다. 자신들의 투석기는 기껏해야 오백 보를 넘지 않는다. 요하 하구를 겨냥하는 데 집중되어 있었다. 그런데 근초고 수군의 저 불덩어리는 도대체 듣도 보도 못한 것이었다.

피해가 엄청났다. 불에 놀란 말들이 미쳐 날뛰고 백성은 바다 쪽 성벽에 바싹 붙어야 겨우 안전했다. 병사들은 불을 끄지도 못하고 우왕좌왕했다. 일부 평곽성의 군사들은 석뇌를 다시 쏠 준비를 하려고 했다. 그리고 일부는 평곽성을 빠져나가려 했다.

고구려 군사들이 먼저 몸을 돌렸다. 이러다가 다 죽을 것으로 생각했다.

"저들이 빠져나가려고 할 것입니다."

"기다려라."

"…?"

"봐라!"

그렇게 근초고 여구는 태자 귀류에게 보라고 했다. 함선이 움직이고 있었다. 전 상륙함도 움직이기 시작했다.

둥둥둥-

북소리가 더욱 커지자 백여 척의 보급선이 특수전투선 사이사이로 들어갔다. 한 시진이 지나고 백여 척 사이에 또 다른 배가 뭔가를 가지고 끼어들고 있었다. 그 배에서는 병사들이 묘한 것들을 평곽성을 향해 보이고 있었다. 모용황은 대낮 불 전쟁을 보고 놀란 가슴을 진정시키고 있다가 그 광경을 다시 보았다.

거울이었다-

그 거울. 열도에서 유명한 대화전쟁에서 여구가 썼던 것이다. 그러나 가을 하늘의 태양은 강하지 않았다. 목적은 다른 곳에 있었다. 한 시진 동안 배가 평곽성에 가까이 다가왔던 것이다. 불과 오백 보 이내다. 공격할 내상이 평곽성 너머 신을 치고 있던 고구려 기마대였던 것이다. 석뇌를 날려야 했다. 투석기를 장착하려는 그 순간 빛이 있었다. 배는 없고 거기 빛이 가득했다. 눈이 부셨다. 함선에서 반사된 빛이 평곽성을 가득 밝게 했다. 평곽성 병사들은 눈이 부셔서 배를 볼 수가 없었다. 다 사라진다. 빛에 배들이 사라져 조준을 할 수가 없었다.

배는 어느 틈에 평곽성의 백 보 앞까지 왔다. 평곽성과는 이제 불화살 전쟁이 벌어졌다. 그리고 전투함에서는 그때부터 다시 두 시진 동안 평곽성을 사이에 두고 있던 그 성(城) 너머의 고구려기마대 진영에 기름불덩어리, 화과탄(火果彈)을 발사하기 시작했다. 곧바로 온 들녘이 불바다가 되었다. 번지는 기름불에 놀란 군마들이 미쳐 날뛰고 고구려 기마대의 전열이 완전히 흐트러졌다. 고구려 장수 하우창(夏雨昌)은 이런 전쟁을 처음 겪었다. 불지옥이 따로 없었다.

함선에서 불 탄이 날아왔다? 저 함선은 무엇으로 만들어졌나?

평곽성을 넘어서 대방 부여 연합군 진영(陣營)으로 불덩어리들이 떨어진다. 그 불들이 떨어져… 펑펑 터지면 말들이 온통 미쳐 날뛴다. 그 불지옥. 지금 대방 부여국 연합군 장수 하우창 앞에서 벌어지고 있다. 천하의 고구려 군대가 싸움 한 번 제대로 해보지도 못하고 지리멸렬 무너지고 있었다.

"후퇴하라!"
"…?"

어디로 후퇴를 한단 말인가. 하우창의 고구려군은 그제야 사방으로 흩어지려 한다. 대방 부여군 역시 혼비백산 어찌할 바를 모른다.

기선제압-

그것은 시작이었다. 바로 그 놀란 가슴에 또 한 번 충격이 시작된다. 저 멀리서 지축이 흔들린다. 기병대다. 기병 부대가 돌진해온다. 먼지가 뿌연 것이 족히 일만은 넘는다. 다시 북쪽에서도 기병들이 온다. 저 기병들… 도대체 어디서 왔단 말인가. 어떻게 고구려 쪽에서도 올 수가 있단 말인가. 기병이 어디 있었지? 하우창은 생각할 겨를도 없었다. 정신이 어지러운 만큼 몸을 돌려 후퇴할 방향을 찾기도 어려웠다. 어디로 가야 하나. 하우창은 부장(副將)을 찾았으나 이미 없었다. 고구려군은 혼비백산(魂飛魄散) 흩어지고 있었다.

진격이다—

바로 그때 이미, 근초고의 상륙함들이 포구에 닿아 있었다. 고구려와 대방 부여군 정예병들이 있던 곳을 향해 상륙함들이 돌진하고 있었다. 함선의 앞쪽이 열리고 상륙발판이 놓이게 되자 경기갑병들이 이열종대로 쏟아져 나왔다. 일천, 이천… 그리고 수천 명에서 상륙이 거의 끝날 무렵에는 족히 이만 명이 넘어 보였다. 평곽성 양 측면 해안선을 따라서 이백여 척씩, 사백여 척이 들이대더니 기병들을 토해냈다. 그리고 바로 적진으로 밀려들어 간다. 그 기병들의 돌진에 다들 놀랐다.

장관이다—

모용황은 이런 전쟁을 처음 보았다. 불덩어리가 떨어지면 그대로 불판이 벌어진다. 한동안 꺼지지도 않는다. 사람에 붙으면 사람이, 집에 붙으면 집이, 돌벽에 붙으면 돌벽이 온통 불이다.

불 천지가 된다. 기름불. 거기에다가 상륙함에서 쏟아져 나오는 저 경기갑병들. 배에서 그대로 말을 탄 채 뛰어든다. 바로 뭍으로 달려갔다. 말도 갑옷을 입었는데 잘 달린다. 헤엄도 친다. 기갑이 가볍다는 뜻이다. 그런 중무장한 기갑부대가 바다를 가른다. 일시에 상륙했다. 순식간이었다.

무섭다-

무슨 저런 군대가 있는가 싶다. 있었다. 이런 전쟁도 있었다. 고구려군과 대방 부여군은 불 앞에서 더욱 속수무책이 된다. 두렵고 또 두려워졌다. 말들이 미쳐 날뛰는데 기병들이 무슨 힘을 쓸 수 있겠는가.

평곽성에서는 투석기를 제대로 날려보지도 못했다. 평곽성을 공격하는 함선은 빛 때문에 볼 수도 없었다. 그 대왕, 근초고는 하늘에서 빛의 신이라도 강림한 듯 했다. 번쩍번쩍 빛이 나는 검으로 공격명령을 내린다. 찬란한 빛이 검에서 뿜어져 나왔다. 이런 전쟁이, 저런 무존이 있는가 싶었다. 모용황은 근초고의 모습과 근초고 부대의 장엄한 전쟁을 보고 있었다.

"내관, 이제 도강(渡江)을 해야 합니다."

그 얘기에 정신을 차렸다. 그 고함이 없었다면 모용황은 그대로 불구경을 하고 있었을 것이다. 근초고 군대의 전쟁을 구경만 했을 터였다. 대방 부여군 수군은 다 도망쳐버렸다. 그래서 백제 수군은 쉽게 요하 강을 올라왔다. 모용황 부대가 도하(渡河)할 수 있도록 작은 배를 두고 나무판을 엮어 다리를 만들었다. 준비된 도하용 다리였다. 다리가 무려 십여 개가 만들어지자 모용황은 바로 돌진하도록 했다.

"건너라! 적을 섬멸하라!"

모용황의 이만 기병이 먼저 건넜다. 이어서 보병 삼만이 따랐다. 대방 부여 연합군을 향해 진격했다. 그리고 보았다. 저 너머 일단의 근초고 기병이 대방 부여군의 퇴로에서 몰려오고 있었다. 또 있었다. 대방 부여 연합군을 후미에서 치는 상륙부대가 따로 또 있었던 것이다. 미리 떠났던 백 척의 배들이 고구려 진영 후미 포구에서 상륙군을 내린 것이다.

대방 부여 연합의 주력군은 사방이 포위되었다. 원진을 짜는 대방 부여군이 보였다. 기병은 도망치거나 말을 잃었다. 대낮 화전(火戰)은 사람보다 말에게 더 충격이었다.

불. 꺼지지 않는 그 불에 또 다른 비밀이 있었다. 말이 가장 싫어하는 냄새. 역한 냄새가 있었다. 사람보다 코가 예민한 말을 흥분시키려고 독초를 화과탄에 넣어 같이 타게 했다. 그 냄새가 말들을 미치게 했다. 그것을 근초고 군대의 군마들은 미리 맡고 훈련해 왔다. 수시 때때로 그 매운 냄새들을 맡아 왔던 근초고 부대의 군마(軍馬)들은 면역되어 있었다. 면역된 말들은 흥분하지 않았다. 근초고 부대의 군마가 아닌 말들은 모두 흥분했다. 모용황 기병 또한 그러했다.

그래서 더 무서웠다-

연나라 대칸 모용황이 이 사실을 알 리가 없었다. 그래서 근초고 군대에 완전히 질리게 되었다. 말을 다루는 솜씨 또한 예전과 달랐다. 말이 불에 흥분한다고 생각한 모용황이었다. 허구한 날 말을 타온 모용씨족들보다 말을 더 잘 다루는 근초고 기병들을 보면서 정신이 아득해진다. 언제 어떻게 해서 저리도 강군(强軍)을 만들 수 있었는가? 말을 가져간 지 몇 년도 안 됐는데… 아니 더 되었다고 해도… 태어나서 걸음마와 동시에 말을 탔다. 그런데 근초고 기마부대는 그 불 속에서도 전열을 흐트러뜨리지 않았다. 그게 더 무서웠다.

항복—

너는 싸울 생각이 없었다. 대방 부여국 왕 여현은 이제는 싸울 수 없었다. 무엇으로 싸울 것인가. 기병은 말이 도망치고 나자 힘이 빠졌다. 보병도 그저 벌벌 떨 뿐이다. 사방이 적의 기병이요, 적의 깃발이며, 적의 북소리다. 적의 기마병대들은 중무장 되어 있고 대방 부여 연합군은 전세를 가다듬을 틈도 얻지 못했다. 불과 네시진. 불 공격에 혼이 빠진 그 틈에 사방에서 수만 명이 일시에 몰려들었다. 어디서 왔는지도 몰랐고, 어떻게 싸워야 할지도 몰랐다. 예상한 공격도 아니고, 생전 처음 본 군대의 돌진이었다.

최대의 투자—

최소한의 희생을 위해서였다. 승리를 위한 투자가 어마어마했다. 그러나 다행히 짧았다. 가져온 특수무기들의 반밖에 쓰지 않았다. 일시에, 한낮 전투에 전 화력의 반을 투입한 것이다. 아무도 그 사실은 몰랐다. 그 양이 얼마인지 또 어떤 무기인지도 몰랐다. 수군 전투함선에서 육지로 쏘아대는 불탄 발사기가 있다는 것만은 확실히 알았다. 그리고 이상한 그 불덩어리들이 말을 미치게 하고 병사들의 정신을 혼미하게 한다는 것도 알았다. 그리고 이러한 병기(兵器)들을 가진 칠백여 척의 근초고 대군이 있다는 것에 기겁했다. 연나라 대칸 모용황도 그러했다.

모용황은 근초고 여구를 유심히 살피고 있었다. 근초고가 항복한 여현을 문초했다.

"네 죄, 그 패륜의 죄악을 알렸다!"

"저는 단지 여루 형님이 아버지 대륙 백제왕을 살해하자 형님에게 반기를 든 것뿐입니다. 저는 백제를 거역할 뜻이 없었습니다."

대방 부여국 왕을 자칭했던 여현(餘玄)은 대방 백제왕 설리를 위례성에서 살해한 여루(餘樓)를 핑계로 모면하려 하고 있었다. 연나라 대칸 모용황은 근초고 여구를 보고 물었다.

"저, 여현을 어찌하실 겁니까?"

"제 뜻보다는 저들에게 아비를 잃은 연희여황에게 맡기고 싶습니다."

여현을 처리하는 데에는 이복남매 연희여왕이 있었다. 아비가 같았다. 대륙 백제왕 설리가 여현(餘玄)의 아비이자 연희여황의 아비였다. 근초고가 연희여황에게 완곡하게 물었다.

"어찌하실 거요?"

"어찌하긴요! 그 죄를 물어야 하지 않겠습니까?"

"비록 대방 부여국을 칭하고 고구려와 연통하였으나… 여황의 오라비요, 또한 우리가 전략적으로 대방 부여국을 먼저 공격하긴 했으나 실상 여현의 얘기에도 일리가 있소. 패륜지왕 계왕과는 다르오!"

"…?"

마음의 짐을 지지 말라는 뜻이었다. 근초고 여구는 계왕의 일을 상기시켰다. 아우를 죽이고, 아비를 죽이고, 대천관 신녀를 죽인 패륜지왕. 그 처참한 말로를 보았다. 역사에 단 한 줄 아무 의미도 쓸 수 없는, 그 사람의 경우에서 절대 하지 말아야 할 것을 보았다. 천륜(天倫)을 지켜야 한다. 그것이 곧 땅의 도리(道理)요, 사람의 경우다. 그런 마음으로 근초고 여구는 연희여황을 보았다.

"살려주시오! 제발…"

대방 부여국 여현(餘玄)은 고개를 떨어뜨리고 있었다. 애처로웠다. 여현을 보는 눈빛이, 연희여황의 마음이 조금 흔들렸다. 근초고 여구가 미소를 지었다.

"저 여현을 가두어라!"

근초고 여구는 연희여황의 마음을 읽었다. 살리자. 그래서 연희여황의 마음에 평생 그림자를 지우게 하지 말자 그리 생각했다.

"도대체 그게 무슨 무기인가?"

"유화과(油火果)입니다. 제 할아버지는 화과탄(火果彈)이라고도 하셨습니다. 투석기(投石機)에 올려서 발사합니다. 투석기도 새로 만들었습니다. 옛 단군조선에서 쓰던 무기를 새롭게 개량한 것입니다."

"그 배에서 어찌 그렇게 기병이 바로 상륙할 수 있는가?"

"내부 2층이 기병이 말을 탄 채로 서 있을 수 있게 만들어져 있습니다. 가장 힘든 것은 오랜 항해에 말들이 탈 나지 않게 하는 것입니다. 이를 위해 수많은 비법과 비방을 만들고 사용합니다. 그중에서 가장 손쉬운 것은 해산물입니다. 또 바다 수영이고요."

"해산물?"

"예. 말에게도 산 낙지 등을 먹입니다. 그러면 보양이 됩니다. 필요에 따라서는 대칸께… 죄송합니다만, 대칸께 드린 산삼을 쉬인 여물도 먹입니다."

"그렇게 준비했소?"

"예. 그리 준비했습니다."

"한성백제에서 즉위하신지 반년도 안 되는 데요?"

"한성백제를 치기 위해서도 준비했습니다. 제 아비의 원수를 갚기 위해서 준비한 것입니다. 그러나 칠 수가 없었습니다. 거긴 제 형제의 나라이기도 하니까요."

형제의 나라-

여구의 말이 모용황을 기쁘게 했다. 연나라와 백제는 형제 국가다. 승전을 축하하는 자리에서 여구는 모용황에게 그렇게 말했다. 모용황은 그 말을 크게 좋아했다. 이제 이번 전쟁은 거의 마무리가 되었다. 모용각이 승전을 기뻐하면서 축하하러 왔다. 연나라 대칸 모용황은 오랜 출병으로 지쳐서 모용각에게 대방부여국 승전의 일 처리를 맡겼다.

실상 그것은 핑계였다. 노련한 모용황은 보았다. 근초고 부대의 무서움을 알았다. 그래서 전리품을 나누기 위해 왈가왈부할 상황이 아님도 알았다.

강이시약(强以示弱). 능력이 있으면서도 싸우지 못하는 척한다. 능이시지불능(能而示之不能). 허약한 듯 보이나 그 능력의 깊이를 알 수가 없다. 겸양한 것이다. 이기고도 더욱 낮추는 마음가짐. 조금도 기쁜 기색이라고는 없고 그저 평상시처럼 무덤덤하다. 그리고 항복한 적병들까지 챙긴다. 적장 여현을 살려두고 어떻게 처리할까를 고민하고 있다. 그렇게 무섭게 몰아치더니 전쟁이 끝나자 고요해졌다.

차분하게 일을 처리하고 있었다. 그런 사람, 근초고 여구가 모용황은 두려워지기 시작했다. 비류왕 여호기를 닮았나 싶었다. 그 이상이었다. 호랑이 새끼 중에 대호다. 이미 대호 중의 대호. 내해(內海)의 대왕으로 크고 있었다. 그래서 칭병(稱病)했다. 몸이 불편하다고 했다. 그리고 모든 연나라 부대의 전권을 모용각에게 맡기고 자신은 삼만의 군대를 이끌고 화룡성으로 돌아가겠다고 했다.

감사합니다-

진심으로 근초고 여구는 감사해 했다. 연나라 대칸 모용황의 깊은 뜻을 읽었다. 모용황에게 큰 고마움을 가지게 되었다. 영토를 백제에 준다는 뜻이었다. 처리가 골치 아플 여현도 모용황이 네려가겠나고 했나. 연희여황의 입장을 고려하셨나는 깊이 있는 모용황의 말에 연희여황과 근초고 여구는 함께 고마워했다.

천제를 지내라—

그리 말했다. 근초고 여구는 연희여황의 딸 유현으로 하여금 평곽성 내외에서 사망(死亡)한 백제의 병사들과, 백성은 물론 적병들의 영혼(靈魂)들까지 위로하고, 전쟁으로 죽은 모든 영혼이 저승으로 편히 갈 수 있도록 천도(薦度) 위령제(慰靈祭)를 거행하게 했다. 죽인 적의 영혼도 근초고대왕은 위무(慰撫)했다. 그 영혼들을 위로해 이 땅에서 다시 이런 전쟁이 없기를 바랐다.

天 하늘과
地 땅이
一 하나다

一 하나는
終 끝이
無 없는
終 끝으로
一 하나다

地 땅이

대륙이 근초고 여구를 기다리고 있었다. 전쟁은 기세(氣勢) 싸움이다. 기세를 키우는 것은 주로 입지(立地)다. 지금 근초고 부대가 있는 대방은 백제 건국의 근거지였다. 근초고 여구의 아비인 비류왕 여호기가 태어난 곳. 그 대륙백제의 본가. 비류 본가가 있던 곳이다. 대제국 백제를 만든 소서노 모태후가 꿈을 키우던 곳이다. 근초고는 이곳에서 여유를 부리고 있었다. 이제 곧 겨울인데 대륙백제를 치기 위해 전쟁준비를 해야 했다. 그런데 근초고 여구는 연희여황과 태자 귀류, 유현을 데리고 백성을 위무하는 데 주력하고 있었다.

땅이 다르다-

들녘을 가득 메운 풀들이 보였나. 잡초가 무성하다. 예서 무엇을 키워야 하나. 온통 그 생각뿐이었다. 말과 양, 목축으로 살아가는 사람들. 일부 해안가의 어업이나 요하 줄기를 따라서 농사와 어업을 할 뿐, 이 땅을 풍족하게 할 그 무엇인가가 필요했다.

밭이고 곡식이라고 생각했다. 그래서 여러 씨 종자를 가지고 오게 했다. 대륙 북부의 문제는 경제가 안정되지 못한 것에 있었다. 오랜 전쟁으로 그 넓은 들녘이 고달팠다. 핵심은 역시 치수였다. 콩, 조, 수수, 옥수수가 곡물로 적당했다. 치수도 그런 밭작물이라면 가능했다.

이해가 안 된다-

요하 강변은 물이 풍부하다. 곡물이 자라기에 부족함이 없다. 인근 산성(山城)은 충분히 도망칠 수 있는 근거지가 된다. 그런데 경제가 어렵다. 유민(流民)이 많았다. 아마도 전쟁의 후유증이 큰 까닭일 것으로 생각했다. 끝없는 소모전 때문에 유민(遺

民)은 유민(流民)이 되었을 것이다. 고구려의 전술이 한몫했다고 판단했다. 청야(淸野) 입성(入城). 들을 청소하고 산성(山城)으로 들어간다. 적이 쳐들어오면 군량이 될 수 있는 곡물을 다 태워버리고 험한 산성(山城)으로 들어가 적을 맞이했다. 고구려의 산성(山城) 축성 기술과 위치 선정은 대단했다. 그 전술 탓에 들판의 곡물이 죽어간 것이다. 백성이 죽어가는 것이다.

高句麗言天帝大日高大光輝於世界之中也

고구려는 천제 대일이 높게 크게 빛나고 비치는 세계의 중심을 말한다. 즉 고구려는 하늘님의 태양이 높게 크게 빛나고 비치는 인간세계의 중심이 되는 나라다. 당시 세계의 중심이 되는 나라라는 의미가 있는 나라가 바로 고구려라는 말에 담긴 뜻이다.

고(高)는 가우리, 높은 가운데 땅. 태양이 높게 빛나는 가운데의 나라. 태양이 높게 빛나는 중심 나라. 태양이 높게 빛나는 중국이요, 태양 중심국이며, 태양의 나라다! 태양은 중심이며 천제, 하늘님을 대신하는 유형지천, 보이는 하늘의 대표다. 즉 고구려는 천제, 하늘님의 수호를 받는 천제자, 천손의 나라라는 말과 통한다. 고구려를 세운 일등 공신이 바로 소서노 모태후다. 고구려의 기반이 졸본이며 그 졸본의 주인이 바로 연타발의 딸 소서노였다. 소서노 모태후가 만들려고 했던 나라는 땅을 불태우고 전쟁을 통해 영토를 넓히는 데만 힘을 쏟는 나라가 아니었다. 다 받아들일 수 있는 포용의 나라, 열린 나라였다. 그런 이유로 소서노 모태후는 고주몽을 왕으로 만들어 나라를 세워주고도 태자 유리가 나타나자 다 버리고 물러날 수 있었다.

요하–

백가제해의 관문이 바로 거기였다. 소금과 철, 그리고 곡물 무역으로 인근을 부유하게 하니 백성이 달려왔다. 백가(百家)는 곧 백성(百姓)이다. 땅이 중심이 아니다. 사람이 중심이다. 사람이 중심인 나라, 백제를 세우셨다. 어미의 마음. 하늘에서 땅으로, 다시 인간으로. 단군조선의 왕족인 소서노 모태후는 땅의 중심나라 고구려를 세우시고도 다시 사람을 보았다. 아비와 아들이, 형제와 형제가 싸우는 패륜의 길을 버리고 오직 새로운 개척의 시대를 열었다. 그 어미의 마음으로 요하가 흐른다. 근초고는 이 요하가 다시 수천 년이 지나도록 새로운 시대의 중심으로 자리하고 있을 것으로 생각한다. 연희여황이 끼어들었다.

“무엇을 그리 생각하십니까?”

“요하입니다. 강을 보면서 소서노 모태후께서 무엇을 생각하셨을까? 그리 생각하고 있었습니다. 소서노 모태후께서 이 요하를 끼고서 비류백제를 만드셨습니다.”

“저 요하에서 그 나라를 보고 계셨습니까?”

“예. 여기서 소금장수를 하셨습니다. 그 소금 장수, 제가 해야겠습니다. 그래서 이 들녘을 만백성이 다 모이는 풍요한 곳이 되게 하겠습니다. 라고 다짐하고 있었습니다.”

연희여황은 태자 귀류와 딸 유현에게 아비 근초고의 저 큰 뜻을 보라고 했다. 백성을 생각하는 마음을 가진 군왕은 요하강에서 미래를 보고 있었다.

“대륙백제는 언제 가실 것입니까?”

“천천히 가야지요!”

천천히 가자고 생각했다. 요하를 보면서 겨울이 오자 봄을 기다렸다. 바다가 얼자 봄에 뿌릴 씨앗을 보자고 했다. 봄이 오니 여름을 겪자 했다. 백제 낙랑성에서 평곽성까지 근초고 여구는 농토 만들기에 여념이 없었다. 거기에 백제식으로 나성(羅城)을 조금 더 높이 쌓게 하고, 밖에는 해자를 두어 기마병의 공격을 막는 동시에 저수지 기능을 하도록 했다. 나성 안에 우물들을 여러 개 더 만들어 식수할 수 있게 했으며, 따로 토굴들을 만들어 오랫동안 많은 곡식이 변질되지 않게 보관할 수 있도록 했다. 내륙백세 여루(餘樓)는 잊은 것 같았다. 천천히 가자고 했다. 태자 귀류가 물었다.

"전쟁은 기세 싸움인데… 아닌가요?"

"그 기세가 무엇인지 아느냐?"

"…?"

"싸울 수 있는 상대일 때는 기세니라. 싸울 수 없는 상대에게는 기세가 나오지를 않는다."

도무지 아비인 근초고 여구의 말을 태자 귀류는 알아듣지 못했다. 그래서 대유현에게 투덜거렸다.

"지금 쳐들어가야 하는 것 아니니?"

"그래 나도 처음엔 그렇게 생각하는데 다른 생각이 있으신 것 같아"

"무슨 생각?"

"고구려…"

"고구려?"

"고구려 때문에 그러는 것 같아."

"고구려가 왜? 또 대방을 쳐들어온대? 아니잖아. 지금 그럴 형편이 아닌데…"

"아니… 지금 말고 좀 더 있으면 고구려가 올 거야."

"그야 그렇지."

"그걸 막을 방도가 없는지 고심하는 것일 게야."

"그게 있을까?"

없었다. 확실하게 없었다. 십 년, 이십 년을 넘어 백 년이라도 좋았다. 그렇게 막는 방안을 찾았더라면 벌써 대륙백제 위례성을 향해 진군했을 것이다. 그 방안이 떠오르지 않았다.

설리가 살아 있었더라면…

그런 아쉬움이 있었다. 설리가 살아 있었다면 대륙백제는 산둥과 대방 모두가 한 힘이 된다. 대륙백제와 한성백제, 그리고 일본백제 전 군을 동원해 고구려를 쳤을 것이다. 그래서 단 한 번의 전쟁으로 대륙 전체를 안녕케 했을 것이다.

고구려만 잡으면 대륙 남부는 언제든지 얻을 수 있을 것 같았다. 고구려는 다르다. 고구려를 치려면 대륙 서쪽을 다 평정

한 뒤에야 가능하다. 대대적인 연합전선을 펼쳐야 한다. 고구려의 산성(山城)들이 너무 험하다. 그 생각으로 골몰했다. 근초고는 무려 일 년 가까이 고민했다. 대륙백제, 즉 산둥지역이냐 아니면 고구려냐 그 고민을 하고 있었다. 무엇보다 명분이 없었다. 천하 대의명분이 없으니… 실익이 아무리 커도 그 일은 할 일이 아니다.

고구려는 다음이다. 지금은 이유가 없다. 그렇게 피가 끓는데 참아야 했다. 대륙백제가 갈라진 이상 고토부터 회복해야 한다. 다행히 그 시기가 얼마 남지 않았다고 생각했다. 대륙백제의 고토를 확보할 것이다. 반드시…

근초고대왕의 군대다-

녹산. 노산 산맥 줄기를 따라 산둥지역 일원을 기반으로 하는 대륙백제 위례성은 지금 근초고의 군대가 언제 쳐들어올지 몰라 전전긍긍하고 있었다. 대륙 백제왕을 자칭한 여루(餘樓)는 명문세가들의 눈치를 살피기에 바빴다.

대륙백제의 실질적인 힘은 사씨(沙氏), 해씨(解氏), 진씨(眞氏), 목씨(木氏), 국씨(國氏), 연씨(燕氏), 묘씨(苗氏), 협씨(協

氏) 등 8대 명문가다. 그 명문가들은 대륙에서 수천 년을 이어왔다. 그 씨족 장들이 한성백제 귀족회의 원로들이기도 했다. 그런데 내전이다. 한성백제 원로들은 대륙 씨족 후계자들에게 계속 연통을 보냈다. 근초고대왕과 절대로 싸우지 말라 했다. 대방 부여국이 항복했다고도 알려주었다.

오만–

연나라로 끌려갔던 대방 백제인들이 근초고대왕에게 돌아 왔다고도 했다. 이런저런 소문에 대륙백제 백성에게서는 근초고의 신망이 점점 더 높아만 갔다. 여루(餘樓)는 동생 여현(餘玄)의 소문을 들었다. 살려줬다고 했다. 모용황이 데려가서 사위로 삼았다는 소문도 들렸다. 일단 조금은 안심이 되었다.

뭣이라? 태사자가 왔다고–

연거리(燕去利)였다. 근초고 여구가 보냈다. 편지가 있었다. 근초고의 편지에는 여루(餘樓)의 죄상을 꾸짖고 있었다. 그런데 자세히 읽을수록 달래는 말들이 많이 있었다. 불안에 떠는 자는 의지하고 싶은 법이다. 믿고 싶은 법이다. 그런 것을 알기에 근초고는 전략적으로 시간을 보내고 있었다. 너 불안해지도록…

불안한 마음의 시간이 길어지면 잠도 못 자고 점점 더 힘들어진다. 그리고 무엇보다 조직에 틈이 생긴다. 백제 유민들 사이에 들리는 근초고 군대의 무서움이 그를 더욱더 힘들게 할 것이있다.

대륙백제의 좌장 여루(餘樓)는 근초고 대왕님을 맞이하라!

공심복적(攻心服敵)이다. 마음을 공략해 굴복시킨다. 상대를 굴복시키는 방법은 여러 가지다. 힘으로 굴복시키는 것은 그 중 하책에 속한다. 상책은 마음으로 굴복을 받아내는 것이다. 그러기 위해서는 덕(德)을 무기로 삼는 것이 최선책이다. 덕(德)은 곧 용서(容恕)다. 관용(寬容)이다. 감동을 이끌어 내야 한다. 그 기다림에 지친 것은 8대 명문가들이었다. 기다리는 자들에게 근초고 대왕이 태사자 연거리(燕去利)를 필두로 8대 명문가의 원로들과 후계자들에게 새롭게 관직을 하사했다. 이를 위례성에도 알렸다.

수상 격인 내신좌평(內臣佐平) 진성(辰星)을 비롯하여 내두좌평(內頭佐平) 사명(沙名), 내법좌평(內法佐平) 찬수(贊首), 위사좌평(衛士佐平) 해곤(解昆), 조정좌평(朝廷佐平) 목나(木那), 병관좌평(兵官佐平) 설귀(卨龜)의 여섯은 한성백제의 원로들이자 대륙백제 명문가들의 수장들이다.

약 30명의 달솔 중에서 특히 원로귀족들의 후계인 사철우(沙鐵牛), 해사인(解砂仁), 진영화(眞影和), 목리나(木理那), 국자한(國子邯), 묘우치(苗宇治), 협기랑(協基郞) 등을 대륙 진동(震動) 태수(太守)를 겸하게 했다. 대륙의 각 지역, 가문의 옛 땅들을 미리 정해 경략의 책임을 지게 한 것이다. 대륙 경략의 뜻이 담겨 있었다. 정복할 지역을 미리 식읍으로 내려 공략할 방법을 찾으라는 뜻이었다.

난감했다-

아직 근초고 군대와 싸울 것이냐 말 것이냐 하는 것도 결정 못 했는데… 근초고는 벌써 대륙 남부, 즉 8대 명문가 중 연씨를 뺀 7대 명문가의 근거지인 백제의 고토, 옛 땅을 회복하자고 한다. 옛 단군조선 때부터 다스리던 그 땅들. 그 실질적인 주인으로 바로 서라고 했다. 근초고는 답에 따라 행동할 것이다.

내 말을 따를 것이냐-

아니냐. 아니면 대륙 북부의 별이라 불리던 내간 모용황도 무서워 도망쳤다는 근초고 군대와 싸울 것이냐. 선택의 여지가 없었다. 한성백제에서 원로 씨족 장들은 근초고대왕을 따르라 한다. 별다른 손해는 없을 듯 했다. 지인반보(遲人半步). 걸음을 늦춘다. 앞서는 것만이 능사가 아니나다. 늦춰야 할 때도 있나. 참을성 있게 호기(好期)를 기다리는 인내심이야말로 건곤일척(乾坤一擲)의 승부수를 던질 수 있게 한다. 근초고는 기다렸다.

대륙 남부의 고토를 회복하자—

무엇을 하고 있느냐? 옛 단군조선 시대 수천 년을 지배해온 너희의 옛 땅을 찾자. 그것을 찾고자 하지 않고 지금 너희는 무엇을 하고 있느냐? 그리 혼내고 있었다. 지상매괴(指桑罵槐). 뽕나무를 가리키며 느티나무를 욕한다. 이는 표면상 다른 사람이나 일을 나무라는 것 같지만 실은 빗대어 욕하는 것이다. 흥분시키는 것이다. 간접적으로 오늘날 대륙백제의 안일함을 꾸짖고 있었다. 명문세가 후계들의 자존심이 들끓었다.

고도의 전략이다—

이때를 기화로 근초고는 백제의 직제를 바꿨다. 백제귀족 대화백회의에 별도로 의장격인 상좌평을 두었다. 그 상좌평은 진의(眞義)였다. 6좌평(佐平), 16관등으로 관직을 정비했다. 백제 16관등 중 최상위에 대륙백제의 명문가들이 있었다. 그러니 대항할 명분이 없었다.

태사자 연거리가 그러한 소식들을 계속 전하자 여루(餘樓)는 하루하루가 지옥이 된다. 사는 것이 사는 게 아니었다. 여루 자신에게 내려진 관직은 대신 급으로 대륙백제의 좌장이었다. 태사자 연거리(燕去利)의 말에 의하면 지금 대왕을 맞이하면 제후급, 즉 지방왕으로 봉할 것이라는 은밀한 전언도 있었다.

"정말이냐?"

"예. 저 태사자 연거리(燕去利)가 감히 대왕의 말씀을 왜곡할 수 있겠습니까?"

"그러면 나를 용서하신 게냐?"

"왕께서 그러셨습니다. 그리 말씀 하셨습니다."

대륙백제의 싸움은 그렇게 끝났다-

대륙백제의 군대가 아무리 많아도 싸울 마음이 장수들과 병사들에게 없었다. 장수들이 자신들을 아무리 믿으라 해도 근초고가 내린 관직이 그러하고 각 명문가 씨족 장이 한성백제의 최고위직에 있는데… 여루는 장수들을 믿을 수가 없었다. 게다가 백성은 근초고대왕이 오신다고 환영할 준비를 하고 있었다. 비류왕 여호기의 아들, 열도 규슈를 통일하고, 본토를 점령한 일본무존. 내방 부여국의 난공불락이라넌 평곽성을 불과 하루만에 무너뜨린 태양 왕. 그 일본무존 근초고대왕이 오신다. 그렇게 떠들고 좋아했다.

우리 대왕이시다-

우리. 나와 네가 큰 하나가 된다. 그 큰 하나가 바로 우리다. 우리는 곧 울타리다. 나를 지키고 너를 같이 지키는 울타리가 된다. 아홉이다. 됐다는 수(數)다. 아비다. 지키는 자다. 그 아비. 우리를 지키는 아비가 바로 왕이다. 그 왕들의 왕이 바로 대왕이다. 큰 대(大). 두 팔을 벌려 품어주는 사람이다. 왕들을 지배자들을 크게 품어주는 왕 중의 왕. 그런 대왕이 되고자 했다. 그래서 근초고는 여루(餘樓)를 용서하기로 했다. 요하 강변에서 소서노 모태후를 생각하며 이 땅의 백성에게 무엇으로 행복하게 해줄 것인가를 생각하고 또 생각했다. 옛 단군조선의 왕검들께서 그러하셨듯이 그렇게 고민하고 노력했다.

단군조선의 임금이란 다스리는 사람이다. 중앙과 지역의 책임과 질서는 단군조선(檀君朝鮮)을 전체로 하여 제일 큰 광역권(廣域圈)인 삼한관경(三韓管境) 그리고 군국(君國), 그 아래 후국(侯國)과 대인국(大人國)의 순(順)이 되는데, 자연히 하늘의 명(命)을 든 제(帝), 왕(王), 군(君), 후(侯), 대인(大人)의 순으로 그 임금이 된다. 이를 높여 부르면 곧, 천제(天帝), 천왕(天王), 천군(天君), 천후(天侯), 천부(天夫)가 된다.

왕을 흔히 천자로 칭한 것은-

단군총서 홍범구주의 건용황극편에 나온다. 천자는 곧 천하왕 이라는 문구에서 유래했다. 홍범구주는 단군조선의 태자 부루가 도산회의 순시에 순(舜)의 신하 사공 우(禹)에게 치수법을 전수할 때 건네준 책이다. 그래서 천하의 왕에 해당하는 고대 대륙의 중원 왕을 천자라고 했다. 여기서 천(天)의 아래(下)이니 그 하늘(天)이 따로 있었다. 즉 도산회의에서 우(禹)는 천제자의 가르침에 따라 치수에 힘쓰겠습니다. 라고 맹세했다고 한다. 이를 살펴보면, 이때 천제자(天帝子)는 태자 부루이고, 천제(天帝)는 자연히 단군왕검이다. 천제자(天帝子)는 천왕격이다. 태자 부루는 삼한관경(三韓管境)의 하나인 진한(辰韓)을 직접 다스렸다. 그래서 천왕(天王)이 되는 것이다. 삼한(三韓)을 비왕(裨王)이라 하는데, 비왕(裨王)의 왕(王)을 높여 부르면 신왕(天王)이 된다. 그리하여 태자 부루는 천왕격(天王格)이 되며, 순(舜)임금은 천자가 된다. 태자 부루 외의 단군왕검 아들은 천자와 천군이 된다. 천군(天君)은 천국(天國)의 작은 임금이며, 천자(天子)는 천국에서 지상으로 내려보낸 임금으로서 공, 후, 백, 자, 남 등의 제후를 거느리는 왕(王)이 된다. 단군이 봉한 제후인 공(公), 후(侯), 백(伯), 자(子), 남(男)을 높여서 천(天)을 붙이면 각각 천공(天公), 천후(天侯), 천백(天伯), 천자(天子), 천남(天男), 즉 천인(天人)들이 된다.

대륙의 왕이라 칭(稱)하는 천자(天子)는 단군조선(檀君朝鮮)의 제후로서 군(君) 아래에 해당하는 지방의 임금이 되는 것이다. 하늘이 내린 자, 바로 하늘의 명(命)을 받은 사람이었다. 그 하늘, 옛날에는 단군조선(檀君朝鮮) 왕검님이 계신 그곳이었다. 거기는 하늘과 땅과 사람이 하나인 곳이었다.

효율–

그렇다. 이는 넓디넓은 단군조선의 영역을 효율적으로 관리하기 위함이었다. 단군조선(檀君朝鮮)은 감히 인간이 넘볼 수 없는 하늘의 영역이었다. 광명세계를 주재하는 곳이었다.

광명(光明)은 그래서 광명(光名)이었다. 이름들이 붙여진다. 하늘나라에 바치는 공물이 그래서 조공(朝貢)이다. 하늘나라에서 운영하는 것이 조정(朝政)이요, 그 장소가 조정(朝廷)이다. 나라의 이어짐이 바로 왕조(王朝)고 임금의 재위가 바로 조(朝)가 된다. 매일 아침 인사를 올리는 것이 문안(問安) 매조(每朝)다. 등조(登朝)는 조정(朝廷)에 출사(出仕)하는 일이며, 대조(大朝)는 왕세자(王世子)가 섭정(攝政)하고 있을 때의 임금을 일컫는 말이다. 동조(東朝)는 발을 늘이고 정사(政事)를 듣는 태후(太后)이며, 북조(北朝)며, 남조(南朝)는 나라가 남과 북으로 갈라선 때에 나라의 조정(朝廷)을 의미한다. 하늘나라의 방식이 말(言)이요, 문자(文字)가 된 것이다. 하늘나라. 그래서 조(朝)는 별(十), 일(日), 그리고 월(月)이 모여 만들어진 글자이니 이후 후대의 각 나라는 그 적통이 없어서는 이를 범할 수 없었다. 그 적통을 근초고는 잇고 싶었다. 밝달 환국. 그래서 환웅천왕이 펼치셨던 광명 세상을 이루고 싶었다.

이를 응용했다-

근초고는 백제가 단군조선의 그 고토(古土)를 회복하기 전에 크게 세 광역권, 즉 한(韓) 반도와 대륙, 일본열도에 각기 지역왕을 두고, 그 아래 다시 태수(太守), 즉 대신(大臣)들도 하여

금 실질적으로 다스리게 할 생각이었다. 그런데 백성이 먼저 근초고대왕이라 칭하기 시작했다. 절대무왕의 전설이 그렇게 한 것이다. 대군장이 나온다고 했다. 그래서 근초고가 왕이 되자 다들 왕 중의 왕, 대왕이라고 하기 시작했다. 그래서 왕비 진하연이 상좌평 진의와 상의했다. 백제에서 단군시대의 지방왕 제도를 도입하고 백제 대왕으로 근초고대왕을 백제귀족 대화백회의에서 추인하도록 했다.

근초고는 가까울 근(近)에 닮을, 같을, 본받을 초(肖), 옛 고(古)다. 초고왕에 가깝다. 후예다. 라는 의미가 있다. 그러나 근초고는 온고이지신(溫故而知新)과 뜻이 통한다. 대초고왕(大肖古王), 초고대왕(肖古大王). 근초고대왕은 옛 단군조선이 보여준 치세를 오늘에 새롭게 이루고 싶었다.

天 하늘과
地 땅이
一 하나다

一 하나는
終 끝이
無 없는
終 끝으로
一 하나다

— 하나다

근초고의 군대. 그 위명(威名)은 신화가 되어서 대륙에 널리 퍼졌다. 백제인들은 물론 연나라 군사들이 이야기에 이야기를 더해서 더욱 두렵게 했다. 연나라 대칸의 아들 중 모용석이 이를 듣고 연나라에서 그 이야기를 금지 시켰다. 지나치게 군의 사기를 위축시킬 수 있었기 때문이었다. 그래서 더욱 백성과 군사들 사이에서 쉬쉬하면서 신비롭게 알려졌다.

대왕께서 오신다-

대륙백제 위례성 사람들은 기다리고 기다린다. 근초고의 군대는 대방 평곽성 일원에서 서쪽으로 끌려갔던 오만 명의 백제인과 함께 연(燕)나라와 대방백제의 경계지역에 있었다. 근초고의 명령으로 그 이주민들을 시켜 땅을 개척하기 시작했다.

백제에서 파견된 작물기술자가 연나라와 대방백제 국경지대의 요하 상류에서 밭작물들을 심었던 것이다. 첫 소출이 나왔다. 근초고는 선비족, 흉노, 그리고 고구려 사람들에게 새로운 희망을 심고자 했다. 소출이 기대 이상이었다. 이제 몇 년 만 더 해보면, 이 땅에 풍요로움이 싹트기 시작할 것이었다.

인근 지역과 모든 소금 교역을 시작했다. 약속대로 모용각의 대극성에 백제 소금 교역장을 만들어 이를 중심으로 상업무역이 가능하게 했다. 요하를 따라 대해부가 상단의 배들이 오고 갔다. 한성백제에서도 왔다. 연나라 대극성은 삼(蔘)의 거점으로도 활약했다. 소금, 약재, 철정은 명도전, 반월전 등 백제와 연나라의 화폐를 북부 대륙의 중심 화폐로 만들고 있었다. 근초고 여구는 연나라, 대방백제는 물론 한성백제와 일본백제를 묶어 새로운 경제공동체로 키워가고 있었다.

대륙에 백제의 거점을 만든다-

연나라로 끌려갔다는 대방백제 사람들의 농사일을 관장한 사람이 여현(餘玄)이었다. 여현은 그 공로로 모용황의 사위가 되었다. 이것이 여루(餘樓)를 설득할 수 있는 작은 빌미가 되었다.

근초고는 백제의 직제를 바꾸었다. 직제에 따른 백제귀족 대화백회의의 추인이 필요했다. 상좌평은 진의(眞義)였다. 그 추인이 대륙백제에 도달했다. 여루는 태사자 연거리에게까지도 감사했다.

“정말이다. 진정이다.”

“진정으로 용서하신 것입니다. 귀족회의나 대왕의 승인 없이 백제왕을 칭한 여설리 좌장에 대한 응징을 한 것이니… 역문을 막은 공으로 바뀐 것입니다.”

당연히 패륜이다. 그러나 백제 조정에서 보면, 설리가 귀족회의 추인도 없이 무단으로 백제왕을 자칭했다. 그 일은 누군가 반드시 징벌해야 할 반역이다. 그러한 명분이 여루(餘樓)에 있었다. 근초고는 그렇게 여루의 목숨을 구할 명분을 찾아서 백제귀족대화백회의의 추인을 받은 것이다.

"그… 그러지. 그리했지. 내가 그리했어."

"그렇습니다. 그리하셨습니다. 백제의 반역을 막기 위해 참으로 어려운 결단을 하신 것입니다."

"그러면 된다. 감사할 것이다… 내 진심을 이리 알아주시니… 그 은덕이 하늘 그 자체가 아닌가. 내 아픈 그 마음 알아주시니… 진정으로 감읍할 따름이네."

비로소 여루는 근초고대왕을 맞이할 준비를 시작했다. 백성의 준비는 이미 끝나 있었다. 다만 근초고 군대가 어디로 올지 몰랐다. 태사자 연거리는 근초고대왕 여구의 뜻이 이루어졌다고 보고 했다. 그 전언이 오고 있는 방향으로 근초고의 기병 부대가 오고 있었다. 위례성을 향하는 길목인 대륙의 동해 포구에는 이미 오백여 척의 근초고 수군이 들어와 있었다. 근초고의 수군은 이제 바다의 무절랑군(武節浪軍)으로 불렸다. 비류왕 여호기의 대륙백제 무절랑군 신화가 이어진 것이다.

"역시 말을 타는 것이 신이 납니다."

태자 귀류와 유현은 말을 달렸다. 저만치 앞서 가기 시작했다. 근초고의 상륙 기병은 지금 요하 상류, 연나라와의 국경지대에서 위례성을 향해 오고 있었다. 이만의 기병이 다섯으로 나뉘었다. 뒤는 여수(餘水), 동쪽은 여목(餘木), 앞은 여화(餘火), 서쪽은 여금(餘金)이 전후좌우를 호위하며 중앙에서 여토(餘土)가 대왕의 일행을 보위했다. 오행(五行)의 묘를 통해 기병의 효율성을 강화한 것이다. 기마대는 왕의 보폭에 속도를 맞췄다. 그래서 다소 천천히 갔다. 그런 이유로 태자 귀류와 유현은 더 빨리 달리고 싶으면 앞으로 나가서 대왕의 행차를 기다리곤 했다.

"태자께서 꼭 대왕의 어린 시절을 닮았습니다."
"허허. 그래요?"
"아니 그렇사옵니까?"
"그렇지요. 여황의 말이 옳습니다. 귀류는 꼭 좋은 임금이 될 것입니다. 나아가 좋은 천왕이 되어 이 땅에 큰 뜻을 펼칠 것입니다."

근초고대왕과 대화여황은 그렇게 대륙의 길을 천천히 천천히 함께 걸었다. 위례성으로 향했다.

"앞으로 아이들을 교류하게 할 것입니다."
"아이들이다니요?"

"한성백제 고마성의 왕가 아이는 열도 대화성과 대륙 위례성으로 가서 공부하게 하고, 위례성에서는 고마성과 대화성에, 대화성의 아이들은 위례성과 고마성으로 보낼 생각입니다. 그래야 귀류와 유현처럼, 그리고 우리처럼 같은 꿈을 꾸게 될 것입니다."

"참으로 좋으신 생각입니다."

"또한 정기적으로 왕족들은 세 곳을 돌며 좋은 방식을 함께 배우도록 할 것입니다. 삼 년에 한 번씩 한성 고마성, 위례 거불성, 대화성에서 각 지역 왕들이 모여 각 지역의 교역과 백제의 앞날을 논의하게 할 것입니다. 이제부터 대왕의 거처는 그 세 곳 모두가 될 것입니다."

근초고대왕은 이를 통해 대륙과 반도, 열도를 잇는 거대한 해상제국을 운용할 뜻을 연희에게 밝혔다. 아무도 몰래. 은밀히 백제의 지역 왕들이 모이도록 하고 대왕은 어디에 있는지 알려지지 않는다. 그래야 적들이 감히 어쩌지 못한다. 백제, 밝달 환국의 삼한 광역을 내해 인근에 세우려 한다.

"그것이 내가 꿈꾸는 해상제국 대백제입니다. 하늘과 땅을 잇고 내해로 백성을 이어나갈 것입니다."

연희여황은 보고 있었다. 내해(內海)를 통일하여 서로 부족한 것을 채워주고 백성이 풍요롭고 행복하게 살게 하고 싶다는 그 뜻이 강하게 전해져 온다. 천재지변(天災地變)으로 어느 한 곳이 고통을 받아도, 우리는 한 형제요, 한 식구고, 한 나라 사람이다. 그래서 돕고 도와서 함께 어려움을 이긴다. 이런 의미…

"여루는 어찌하실 것입니까?"

연희여황에게 여루(餘樓)는 큰 오빠다. 아비를 직접 죽이지는 않았지만 그래도 아비의 죽음을 방관했다. 그리고 그 자리에 올랐다. 하지만 이복남매인 것 또한 부정할 수는 없었다. 근초고 여구가 여현(餘玄)의 일을 마무리하고 나자, 연희여황은 그렇게 하기를 잘했다고 생각했다.

죽이면 뭐할 것인가–

아비를 못 믿어서 저지른 죄야 스스로 받을 것이다. 여현(餘玄)의 말을 믿기로 했다. 여현의 말처럼 패륜 패악을 저지르는 것이 두려워서 자신은 숨어 있었다고 했다. 눈을 떠보니 그리되어 있었다고 했다. 철저하게 반성하고 두려웠다고 했다. 늙은 아비지가 기력이 쇠해지자 셋째의 어미가 믿지 대자인 여구를 제치고 셋째를 추대한 것이고, 이를 명문가들이 막고 태자 여루를 추대한 것이라 했다. 여루를 옹립한 세력이 셋째를 죽이자, 여루와 어미가 달랐던 자신도 제거당할 것이 두려웠고, 그래서 대방 부여국을 세우고 대륙백제 위례성과 거리를 두게 되었다고 했다. 대륙백제에서 여루와 여현은 어찌 할 수 없었다고 했다.

농사다-

그래서 농사를 짓게 했다. 그 농사. 하늘의 마음을 배우라고 했다. 그리고 알았다. 근초고가 왜 그렇게 시켰는지… 그가 변하기를 바란 것이 아니었다. 연희여황 자신을 위해서였다. 패륜을 벌하기 위해 다시 천륜을 버리는 그런 우(愚)를 범하지 말라는 뜻이었다. 마음이 편해졌다. 그래서 큰 오라비 여루도 용서해주기를 바랐다. 아직 연희여황은 근초고 여구가 여루를 이미 용서했다는 사실을 모르고 있었다.

곧 오신다-

왕비 진하연은 근초고 여구가 겨울이 되기 전에 온다는 전갈을 받았다. 한성백제는 계왕 설거의 폭정으로 재정이 결핍된 상태에서 무리하게 대방백제 정벌을 위해 군수징발을 했다. 그것이 백성을 불안하게 했다. 다시 백제의 함선 이백여 척이 열수하구 포구에 닿아 있자 또 전쟁하는 것인지, 군수지원을 위해 부역을 해야 하는 것은 아닌지 불안해한다. 이를 잘 아는 왕비 진하연은 새로운 방안을 짜야 했다. 군수 물품의 조달과 군역, 부역의 경계를 명확하게 해야 했다. 방안을 마련하고 이에 대한 구체적인 준비를 진하이(辰河夷)에게 시켰다. 진하이(辰河夷)는 하료의 동생이자 전 내신좌평 진루의 아들이었다. 진하연은 오래전부터 그런 방안을 짜는 데 그를 능가하는 이가 없다고 보고 있었다.

언제나 오시나-

왔다. 근초고대왕의 행차가 위무(威武)도 당당하게 위례성으로 이어지고 있었다. 언뜻 보기에 앞에서도 수천이요, 좌우에서도 수천이고, 뒤에서도 수천이었다. 군마의 행군은 그런 효과가 있었다. 깃발이 날리고 말발굽 치는 소리가 진동하면 더욱 그 위세가 대단해 보였다. 더구나 근초고 기마대는 모용각이 선물로 준 일만의 과하마(果下馬)를 더 끌고 오는 길이었다. 예비군마 일만과 대방백제인 중에서 백제로 돌아가겠다는 유민 오만을 이끌고 왔다.

천천히 왔다-

그렇게 근초고 본대에는 유민 오만 명과 일만여 필의 과하마(果下馬)가 있었다. 말이야 그렇지만 오만의 유민이 문제였다. 이를 지켜야 했다. 유민의 속도는 늦었다. 대왕이 더 늦었다. 대왕이 늦으니 각 부대 또한 유랑하듯 위례성으로 가야 했다.

근초고 여구의 심려는 크게 두 가지였다. 하나는 유민의 보행 속도다. 과거 유민으로 노예로 그렇게 쫓기고 끌려다녔던 마음으로 백성이 걸어가는 것을 느끼고 그 부녀자와 어린아이의 보폭에 자신의 걸음을 맞춘 것이다. 그리고 또 하나는 이번 기회에 연나라에서 백제로 오는 모든 길과 지형, 지세, 기후 등을 세세히 살피며 가고 있는 것이다. 내 백성의 영역이다. 지키기 위해 그 지세 등을 세밀히 파악해야 했다. 이를 위해 마가(馬家) 고하 소도에서 가장 머리가 좋은 박사 고흥과 왕인, 아직기 등을 따르라 했다. 그 박사들을 시켜 지형과 지물, 사람들의 습성들을 하나하나 빠짐없이 기록하라 했다.

기록해 놓은 역사란 보물이다-

비기(秘記)다. 근초고 여구의 생각은 이랬다. 역사 속에 새로운 길이 있다. 소서노 모태후는 그것을 절대무왕의 비기(秘記)로 남겼다. 비류왕 여호기도, 근초고 여구도 그것을 알게 되었다. 절대무왕이란 무예가 뛰어난 자가 아니다. 무예라면 평생 무예만을 정진해온 고수들이 더 잘하게 마련이다. 칼도, 검도, 표창도, 활도 따로따로 보면 근초고 여구보다 은자(隱者)들이 훨씬 더 뛰어났다. 표창이나 독침 등을 쓰는 암기술과 잠입술에서 근초고 여구가 못 당해 낼 은자(隱者)들을 두 손으로 꼽아도 남았다. 기술로 보면 단복이나 초로를 여구는 못 이긴다. 매일 독초며 약초며 온갖 작물을 평생 달고 다닌 초로만 하겠는가… 온갖 기계만을 만드는 단복을 넘어선 후진 기계 박사들을 근초고가 어디 이기겠는가… 그것이 아니다. 무예도 기술도 아니다.

오직 근초고 여구는 소서노 모태후의 비기(秘記)가 새로운 것을 개척하는 정신에 있다고 보았다. 그 새로운 것을 개척하기 위해서 옛것을 과감하게 깨 버려야 한다. 옛것의 목적을 취하고 근본을 보며 새롭게 바꾸어 보는 것이다. 더 편하게 더 효율적으로 만드는 것이다.

쥐가 어디로 가게?

단복과 초로, 그리고 고하 소도의 아이들과 내기를 했다. 커다란 미로(迷路)를 만들고 쥐가 들어갈 구멍 네 개를 만들었다. 그리고 출구는 하나로 하고 가운데를 나무판으로 덮어 놓으니 들어가는 네 구멍 앞에서 나오는 출구 하나를 알아내야 하는 내기가 되었다. 그것을 문제로 어린 은구는 단복과 초로를 부려먹을 생각이었다. 단복과 초로, 그리고 아이들은 제각각 구멍 앞에서 생각했다. 쥐가 어디로 들어갈까? 그 구멍을 찾아 자신의 돌을 놓아야 했다. 나오는 구멍은 하나였다. 거기에 쥐가 제일 좋아할 만한 먹이가 있었다. 그리고 더 넓게 방(防)을 쳤다. 쥐가 달아나기라도 하면 큰일이다. 돌을 각자 놓았다. 어린 은구가 좋아했다. 다들 궁금했다. 쥐는 어디로 갈까? 가만히 지켜보던 현고도 참 이상했다.

은구에게 다른 생각이 있는 것 같았다. 그 쥐를 놓기 전 내기를 건다.

줄 거지? 안 주면 안 하고…

약초 방과 기구 방을 마음껏 드나들겠다는 것이다. 자기가 알아서 배운단다. 지금도 그러면서… 그런 생각으로 단복과 초로는 서로 눈치를 보다가 고개를 끄덕였다. 단복은 첫 번째 앞에, 초로는 세 번째 앞에 돌을 놓았다. 그런데 은구가 쥐를 놓기 전 깔깔거린다.

다 틀렸다. 다 틀렸어.

그리고는 쥐를 놓았다. 단복과 초로, 그리고 아이들과 현고는 틀렸다는 은구의 말에 의아해졌다. 그런데 곧 알게 되었다. 쥐는 그 구멍으로 들어가지 않았다. 밖에 큰 울타리 안에서 쥐는 미로 상자의 옆으로 더 넓은 곳으로 갔다. 깜깜하고 답답한 구멍 네 개가 아닌 우측 옆으로 재빠르게 달려가더니 벌써 맛난 먹이를 먹고 있었다. 많이 굶긴 것 같았다. 그제야 현고는 알았다.

은구가 하고자 했던 그것. 옛 단군조선의 선인인 단복과 초로가 당했다. 생각이 다른 것. 새로운 것. 기존의 틀에서 벗어난 것. 자신의 생각대로 쥐가 움직이는 것이 아니다. 쥐의 생각. 냄새나는 데로 곧장 간다. 깜깜하고 복잡한 미로로 왜 들어가겠는가. 억지로 밀어 넣어서 네 개 중의 하나를 골라야 한다는 인간의 편협한 생각이 아닌 쥐의 처지에서 은구는 생각한 것이다. 그래서 은구가 이겼다.

그 생각-

연나라와 백제의 국경지내에서 위례성으로 오는 동안 하고 있었다. 미로 구멍이 아닌 냄새 나는 먹이를 향해 돌진하는 그 쥐의 생각. 대륙의 동부해안 거점과 반도 서부해안의 거점, 그리고 열도 섬들의 거점을 어떻게 연결할 것인가를 고민하고 고민했다.

대왕이 오셨다-

위례성 백성이 너나없이 거리로 나와 열렬히 환영했다. 근초고대왕이시다. 대륙백제의 좌장 여루(餘樓)가 근초고대왕님을 맞이합니다! 여루가 엎드려 큰절을 올렸다. 태사자 연거리와 그 뒤에 사철우, 해사인, 진영화, 목리나, 국자한, 묘우치, 협기랑 등 대륙의 달솔이자 진동(震動) 태수(太守)들이 감읍했다. 근초고 여구는 하나하나 이름을 불렀다.

"네가 내두좌평 사명의 아들이구나…"
"넌 내법좌평 찬수의 사위고…"
"넌, 위사좌평 해곤의 아들이 아니더냐?"

"조정좌평 목나에게 귀 손이 있다더니 너냐?"

하나하나 아비와 자식을 엮었다. 그리고 백제의 미래가 그들에게 있음을 주지시켰다. 태자 귀류와 유현 공주는 아비 근초고 여구의 모습을 보면서 작은 가슴에 움터오는 웅지를 느끼고 있었다. 아비 근초고 여구는 전쟁에서의 승리보다 더 멋진 승리를 하고 있었다. 때를 기다린다. 항복할 기회와 명분을 주었다. 이것이 우리다. 울타리요, 국가요, 나라다. 반대자를 품는 큰 대왕의 가슴이다. 그리고 하나하나 사연과 유래를 기억해서 불안한 마음을 위로하고 헤아리는 것. 비록 싸울 대상이었지만 상대를 귀하게 여겨 얻는 것. 피를 내어서 더욱더 악감정을 쌓고 싶지 않다. 용서할 명분을 고민해서 명분 있게 용서해주고 더 높이, 더 값있게 쓴다. 이런 것이다. 대왕은 그런 마음으로 큰 나라를 세운다. 사람들을 얻어서. 바로 더 넓은 나라, 더 큰 백제를 만들리라. 이 모든 생각이 태자 귀류와 유현 공주의 마음에 전해지고 있었다.

"그리하셨습니까?"

"그렇다. 더 저항했으면 전부 몰살시키려 했다. 만약 전투함에서 전체를 다 쏘았다면 대방 부여군은 전멸했을 것이다. 최후에는 폭 탄도 있었다. 그것을 사용했으면 최소한 십만 명이 불지옥에서 다 죽었을 것이다.”

섬뜩하게 말했다. 실지로 평곽성 일대 전투에서 근초고 수군은 가져간 전력의 반을 남길 수 있었다. 그 중 독 탄도 있었다. 단순히 말을 흥분시키는 것이 아닌 살상용 독초를 넣은 화과탄을 쏘았다면 더 많은 희생이 났을 것이었다. 평곽성 내 병사들과 백성은 전멸했을 것이다.

그런 얘기였다—

모골이 송연해졌다. 특히, 대륙백제의 좌장 여루는 그 말이 얼마나 두려웠는지 모른다.

두 얼굴이다—

왕이란 그런 것이다. 왕재도 그렇다. 두 개의 얼굴을 가지고 있다. 마음 또한 그렇다. 울타리를 지키기 위해 울타리 안을 보는 마음과 얼굴이 있고, 울타리 밖에서 다른 울타리와 영역 다툼을 하는 마음과 얼굴이 있다. 한 가정의 가장이 그러하듯 근초고 여구는 그런 이중적인 모습을 대륙백제의 중신들에게 보이고 있었다.

태자 귀류-

그 또한 그러했다. 근초고를 닮았다. 머리가 영민했다. 강하고 간결했다. 어린 나이지만 전쟁을 겪었다. 대화전쟁과 대방전쟁에서 태자 귀류는 부쩍 컸다. 근초고 여구는 후진을 키우는 것, 교육이야말로 대제국을 이끄는 비기 중의 비기임을 알고 있다. 그 비기(秘記)는 곧 신기술을 살리는 비기(秘技)며, 신기구를 만드는 비기(秘機)고, 신무기들을 만드는 비기(秘器)다. 그래서 데리고 다닌다. 경험만큼 좋은 스승은 없다. 현실에서 부딪치고 해결하면서 배우는 것, 즉 현장체험 교육을 통해 대륙경략의 큰 뜻과 해상제국 건설의 꿈을 가르치고 있었던 것이다. 태자 귀류의 생각이 더욱 깊어지고 있었다.

"명문세가의 후예들과 함께 백제 무절랑태자대를 만들고 싶은데 어찌 생각하십니까?"

태자가 무절랑대를 만들려 했다. 명문세가의 후예들을 태자가 직접 챙기겠다는 뜻이다. 이에 누가 감히 반대할 것인가. 그래서 각기 후예를 선발해서 3년간 백제 무절랑태자대에 보내기로 했다. 후예를 만드는 것이다. 3년은 태자가 직접 관장하는 된제

훈육기간이고, 이후 태자대는 당(黨)을 이룰 것이다. 이는 한편으로는 왕권을 강화하는 인질(人質)인 것 같지만 다르다. 기꺼이 해야 하는 사관 교육이다. 전쟁에서 선봉에 설 태자의 친위대, 귀족들이 나라를 지키는 것을 먼저 배우게 하는 것이며 내 나라의 근본을 알게 하는 것이다. 각 명문세가는 태자당에서 자연적으로 순위가 매겨질 것이다. 차기 귀족 권력의 배양지다. 태자는 백제 무절랑태자대(百濟武節浪太子隊)를 통해 더 새로운 꿈을 꾸고자 했다.

경험이다-

대륙을 경영하고 반도를 움직이며 열도의 통일을 이룰 내해(內海) 최고의 군대를 만들고 싶었다. 백제의 미래를 책임질 젊은 군대. 그것을 만들고 싶었다. 귀족의 후예들이 경험을 쌓을 수 있도록 해야 한다. 각 지역에 한정된 것이 아니라 내해(內海) 곳곳에서 풍부한 경험을 쌓아야 한다. 그 경험이 곧 미래 백제의 힘이 될 것이라 믿었다. 이를 근초고 여구에게 요청한 것이다.

"태자의 생각이 많이 컸습니다."
"경험이란 그런 것입니다. 생각을 키우지요."

근초고는 여황 연희와 상의하면서 그렇게 태자 귀류의 생각을 받아들였다. 백제 무절랑태자대(百濟武節浪太子隊)를 통해 백제 귀족들의 아이들을 훈육시키고 태자와의 긴밀한 관계를 유지하게 하는 것은 매우 바람직하였다. 그 기간을 3년으로 한 것 또한 내해(內海)를 관장해야 하는 백제의 지리적 한계를 적절하게 적용한 것이었다. 3년은 족히 돌아보아야 할 거리다. 백제 무절랑태자대에 들기 전에 각 명문세가에서 3년 정도 준비한 아이들을 보낼 것이다. 그리고 내해 일원을 3년 돌아다니고, 이후 태자의 특별한 전사로 3년을 복임 한다면 백제의 진정한 힘이 될 것이다.

"백제의 신궁을 늘린다고 하셨습니다."

"그럴 계획입니다. 하늘의 뜻을 살피는 것이니… 왕이 있는 곳마다 신궁이 있어야 할 것입니다. 이제 백제의 근본인 백성을 돌봐야 할 때입니다."

백제(百濟)의 근본은 백성(百姓)이다. 즉위하자마자 2년간 대륙백제의 안정을 위해 노력해야 했다. 나라의 재정과 힘을 길러야 했다. 그래서 연나라 모용황에게도, 고구려에도, 대륙백제와 한성백제 나아가 일본백제에도 근초고 여구는 자신의 무시

움을 보여주었다. 그리해야 긴 시간, 다시 힘을 키울 수 있다. 무서움을 보여야 한동안 연나라도, 고구려도, 선우부족들도, 의라왕도, 누구도 백제와 싸울 생각을 하지 않을 것이다. 본격적인 정복활동에 나서기 전에 그 힘을 키울 시간이 필요했다. 그래서 다소 무리하게 전력을 투입했던 것이다. 신화(神話)가 필요했었다.

天 하늘과
地 땅이
一 하나다

一 하나는
終 끝이
無 없는
終 끝으로
一 하나다

— 하나는

백성이다. 이제 본격적으로 백제를 안정시키고 힘을 키우기 위해서 노력하려 했다. 그래서 천신(天神)과 지신(地神)에 기도하기로 했다. 동명성왕 묘까지 대천관 신녀와 천관 신녀들을 앞세웠다. 근초고의 대천관 신녀는 딸 대유현 공주였다.

동명성왕 묘로 가는 길을 따라-

그때 어린 은구네 아이들도 따라가고 있었다. 아니 더 먼저 향하고 있었다. 백성이 계속 따라와 왕의 행렬을 볼 수가 없었다. 그래서 동명성왕 묘 제단으로 향하는 길을 앞질러가 기다렸다. 곳곳에 전망 좋은 길목에서 왕의 행렬을 보았었다. 은구는 마음이 뿌듯했다. 결심했다. 은구는 왕의 풍모를 보면서 왕자들을 보면서 커다란 꿈을 꾸기 시삭했다.

'나도 왕이 될 것이다.'

은구는 잘못했다고 하지 않았다. 우아가 나서서 현고를 말렸다. 그리고 은구를 안았다. 종아리가 온통 피인데도 은구는 잘못했다고도… 다시는 안 한다고도 하지 않았다. 그런 은구를 우아가 울면서 다독이자 어미 품에서 같이 울었다.

왕이 되었다. 사람들이 왕으로 세웠다. 뭐가 되겠다고 나서는 것이 아니라… 다들 인정해주는 것이다. 왕이 되어서 백성을 편하게 해달라고 그렇게 인정받은 것이 바로 왕이다. 그렇게 생각한 곳이다. 백제 대왕이 된 여구는 추억의 그 길을 지나서… 그 긴 어린 시절의 생각들을 지나서 동명성왕 묘에 도달했다. 태자 귀류를 데려왔다. 그리고 천제 의식을 시작했다.

새로운 하늘의 뜻-

제천의식은 새로운 의미가 있었다. 근초고대왕은 이제까지 하늘의 뜻을 물어온 이전의 천제와 다른 의식을 하고 있었다. 하늘에 고(告)하는 것. 천신(天神)과 지신(地神)의 뜻을 이루겠습니다. 그렇게 하늘을 위로 하고 땅을 위로했다. 온갖 바라는 것들만 있었다. 해달라고만 한다. 그래서 근초고는 하늘과 땅이 인간을 위해 얼마나 애를 쓰고 있는지… 그것을 알고 감사하는 천제를 지냈다. 하늘의 수고스러움에 땅의 노고에 감사하고 감사했다. 천관 신녀들에게도 그렇게 기도해달라고 했다.

하늘에 감사한다-

백성을 위한 마음이 더 우선이었다. 근초고는 왕비 진하연과 가장 급한 현안으로 백제 경제를 회복시키려는 방법을 연구하고 있었다. 왕비 진하연은 근초고의 고민을 읽고 말했다.

"마한정벌입니까?"
"그렇소…"
"지금, 정복활동은 어렵습니다."

근초고의 말에 진하연이 먼저 반대했다. 즉위하자마자 대륙백제 고토 정벌을 위해 무리하게 거둔 군수조달이었다. 그 후유증이 있었다. 그때 진하연의 사촌 오라비 진성(辰星)을 내신좌평으로 하고 진정(眞淨)을 조정좌평(朝廷佐平)으로 삼았었다.

백성은 말했다. 진성(辰星)과 진정(眞淨)은 왕후의 친척으로서 성품이 사납고 어질지 못하였으며 일에 대해서는 가혹하고 까다로웠다. 권세를 믿고 제 마음대로 하니 사람들이 다 미워했다. 그래서 그 책임을 지고 좌평에서 물러났다. 그러나 실상은 재정이 파탄지경에 이른 한성백제에서 무리한 군수조달을 위해 그리한 것이었다. 왕비 진하연이 친족 둘을 앞세워 책임지게 하고 근초고에게로 향하는 백성의 원망을 잠재운 것이었다.

“압니다. 알고 있습니다. 그래서 새로운 방법을 찾고 있습니다. 싸우지 말아야 하는데 보통 오래된 곳이 아니어서… 어찌할지 방도를 찾고 있습니다.”

“좋은 생각이 아직 없으십니까?”

“그렇습니다.”

왕비 진하연이 근초고의 마음에 딱 드는 좋은 대안을 일러주었다.

“왕께서 먼저 교류하심이 어떠하십니까? 태자 귀류도 가르칠

겸 해서요. 저는 왕께서 가지신 가장 큰 무기가 바로 그 솔직하고 상대를 위해주는 마음이라 생각합니다. 근초고의 참모습을 보이시고 그들의 마음을 한 번 살피시지요."

"그래서 될까요?"

"마음입니다. 어차피 그들의 마음을 얻어야 하지 않겠습니까? 이번 정벌에는 귀류를 데리고 유랑하십시오."

"유랑이라 했소?"

"예, 그리하실 계획이 아니십니까? 기꺼이 주십시오. 다 주십시오, 어차피 우리 것이 됩니다."

이미 반은 이루어져 있었다. 나주벌과 한성백제와의 사이 동쪽에 마한 세력이 남아 있었다. 힘은 백제를 능가할 수 없었다. 왕비 진하연의 의도대로 근초고는 귀류를 마한 정벌을 위한 선봉에 세웠다. 귀류와 항상 먼저 상의했다.

"어떠냐? 누가 유리하겠느냐?"

"힘은 우리가 강하옵니다. 그 강한 힘으로 짓누르는 것은 제일 하책입니다."

"그렇다. 그러면 최상은 무엇이더냐?"

"마음이지요. 덕으로 마음을 얻는 것이 최상입니다."

"그 덕은 무엇이더냐?"

“그것이 고민입니다. 많은 자가 베풀어야 하는데 아무리 베풀어도 고마워하지 않으면 그 덕이 쌓이지 않는 것과 같습니다. 어떻게 해야 고마워할지… 주면 고마워할지 모르겠습니다.”

“누구한테 주었느냐?”

“궁인들한테 주어보았습니다.”

“뭘 주었느냐?”

“무엇이든 줄 수 있는 것이라면 주었습니다.”

“그들이 필요한 것이더냐? 그들이 간절히 원하던 것이더냐? 네가 진심으로 나눠주기 어려운 것이더냐? 네게도 어렵고 힘들던 것이더냐?”

“그… 그건 아니었습니다.”

“그러면 그 무게만큼 네가 어려운 정도만큼만 고마웠을 것이다. 사람들은 누구나 본능적으로 안다. 고마운 것은 그렇게 티가 난다. 주는 사람, 베푸는 사람이 마음 쓴 그 정도만 고마워한다. 너는 아주 작게 베풀었구나. 필요하지도 않은 것을 베푸는 것은 고마운 것이 아니다. 간절한 것이어야 고마운 것이다. 상대방의 입장이 되어라. 상대방이 되지 않고 그 아픔을 알지 못하는데 어찌 뭐가 필요한 것인지를 알겠느냐?”

태자 귀류는 아버지 근초고의 그 말뜻이 쉬우면서도 무척 어려웠다. 나면서부터 귀인이요, 왕자요, 태자였다. 다들 자신의 앞에서 먼저 고개를 숙였다. 사람들의 어려움을 몰랐다. 들어서 아는 것과 겪어서 아는 것은 다르다. 그래서 근초고는 이번 마한정벌에 태자 귀류에게 좋은 경험을 시키기로 했다. 그렇게 마한정벌이 시작되었다.

암행이다—

마한(馬韓)은 조선(朝鮮)의 전통이 깊게 배여 있었다. 태초부터 이 땅을 찾아 고대문명을 시작한 바로 그 선인들의 나라였다. 하루아침에 무력으로 정복할 수는 없었다. 그 중심에 한(韓)씨족이 있었다. 근초고는 정벌은 정벌이되 힘이 아닌 정벌을 택했다.

적을 위한 생각이다—

마한에 아주 널찍한 삼(蔘)밭을 만들기로 했다. 그 밭을 무기로 했다. 군대 대신 작물박사들을 보내 농업 생산을 일시에 증진하기로 했다. 또한 마한(馬韓)의 뒤를 위협하고 있는 가야와 신라 문제를 해결할 방도를 모색했다. 그런 정벌이었다. 선봉에 태자 귀류가 있었다.

삼(蔘). 심마니들이 왔다. 제일 앞에 평민 복장을 한 귀류가 걸어가고 있었다. 그 뒤를 한 심마니가 따른다. 초로(草露)다. 백발이 성성한 신선 같다. 아니 누가 뭐래도 신선이었다. 그 앞을 장난치듯 걸어가는 청년 귀류가 초로에게는 귀엽기 짝이 없다.

“그만 뛰어라. 다친다.”
“에이, 스승님. 저같이 훌륭한 아이가 다칠 리가 있겠습니까?”

그러다. 아쿠- 넘어져 버렸다. 다들 하하하 웃는다. 초로는 이런 날이 오니 다시 그때로 돌아간 것 같다. 어린 은구, 소년 여구와 함께 고하 소도에서 살던 그 시절로 되돌아간 듯 감회가 새롭다.

근초고대왕은 단복과 초로를 박사 중의 박사, 국사(國師)로 만들었다. 국사(國師)는 왕과 왕비를 제외하고 모두에게 하대할 수 있었다. 물론 국사에게 모두 다 존칭어를 쓰게 했다. 특히, 태자를 비롯해 왕가의 후예들은 국사(國師)를 대함에 엄격하게 했다. 박사 중의 박사는 왕가의 스승이었다. 나라의 스승이었다. 신분을 떠나 경당(經堂)이든 어디든 그가 원하는 곳에서 가르침을 펼칠 수 있게 했다. 왕비 진하연이 태자 귀류에게 심하게 일렀다. 태자는 국사(國師)를 반드시 존칭하고 존경하라. 그렇지않아도 귀류는 초로와 단복에게 푹 빠졌다. 뭐든 잘 만드는 박사 중의 박사들을 마음으로부터 존경했다. 그들도 귀류를 좋아했다. 어린 시절 은구처럼. 그래서 더 재미있었다. 그 시절 은구를 다시 볼 수 있었다. 그것이 그들을 행복하게 했다.

"스승님! 삼밭은 왜 마한 땅에서 잘 됩니까?"

"그걸 내가 어찌 아느냐?"

"아이, 스승님?"

"마한 땅을 삼(蔘)들이 좋아하나 보구나."

"아, 그래서 삼이구나!"

"뭐?"

"삼한(三韓) 아닙니까? 삼한… 마한, 진한, 변한… 단군조선의 임금님들께서 삼(蔘)을 좋아하신 게죠."

농담 같은 귀류의 말에 땅의 이치가 있었다. 그 이치를 귀류가 알고 있었는지는 모르지만, 초로는 아주 오래전부터 단군조선의 선인(仙人)들이 삼(蔘)을 찾고, 그 씨를 땅에 뿌려 온 것을 알고 있었다. 산에 삼(蔘)이 잘 자란다는 것은 기(氣)가 바르다는 것이다. 한(韓)의 반도는 그래서 삼(蔘)이 잘 자랐다. 백두산, 태백산 줄기마다 좋았다. 삼(蔘)은 곧 감천(甘泉)을 일

아내는 척도가 된다. 어느 계곡에서나 물이 달고 맛있으면 삼(蔘)이 잘 자랄 수 있는 조건이 된다. 삼(蔘)이 잘 자라는 곳의 물은 그래서 약수(藥水)다. 물이 약수(藥水)인 땅, 거기가 바로 지상낙원(地上樂園)이다. 옛 단군조선의 선인들은 이미 그것을 알고 찾았다. 그 땅을 매우 소중히 여겼다.

"알고 보면 겨우 백 년입니다. 아무리 길어도 백 년입니다. 아니면 한 오십만 살아도 제대로 산 것입니다. 그것이 인생입니다. 그러니 무슨 욕심이 있겠습니까? 자연과 벗하고 그저 편안하고 즐거우면 됩니다. 이렇게 그냥 살고 싶습니다."

욕심이 없으면… 원하는 것이 없으면 가장 설득하기가 어렵다. 마한의 족장들을 만났다. 근초고대왕은 마한의 부족장들을 진심으로 대했다. 그리고 그들에게 백제와 우호적으로 지내 달라고 항상 당부했다. 그리고 가야와 신라가 쳐들어오면 백제군이 막을 테니 언제든지 청하라고 했다.

당당하게. 근초고대왕은 위엄을 잃지 않으면서도 최대한 예의를 다했다. 그리고 마한 사람들의 삼(蔘)과 교역품을 백제에서 다 사주고 싶다고 했다. 백제와 교통하기를 원했다. 멀리 내해를 건너 백제가 대리무역을 해주겠다고 했다. 마한의 남은 세력은 백제왕의 친선화친 요구에 고민하기 시작한다.

마한-

백제의 한성과 나주벌 사이 동쪽에 그 남은 세력이 크게 네 씨족국가 읍들을 형성하고 있었다. 서쪽 해안 끝은 이미 한성백제와 주류성 일원으로 편입되고 있었다. 이제 동으로 태백산 아래 남으로 성모산을 거점으로 가야와 신라를 접해야 했다. 그래야 나주벌도 주류성 동쪽과 한수(韓水), 그리고 한성백제에 이르기까지 거센 산맥, 천혜의 지형을 기반으로 고구려와 신라, 가야와 반도 백제의 영토가 확정될 것이었다. 지리적으로 그러한 경계가 가장 방어선을 쉽고 안전하게 구축하고 나아가 새로운 백제를 단단하게 지킬 수 있게 할 것이다. 그래서 마한이 중요했다. 약해진 마한이 고구려나 신라, 가야에 흡수되면 백제에 가장 위험한 경계 지역이 된다. 나주벌의 교역장을 연장하여 마한(馬韓) 소국들로 백제 물품을 보냈다.

맞아 죽을 뻔했다-

삼밭? 미친놈이라고 했다. 산삼을 밭에서 키워보자 하니 다들 미친놈이라고 욕했다. 남의 밭을 이리저리 살피다가 몽둥이찜길을 당할 뻔했다. 서리꾼으로 몰릴 때도 있었다. 사람들이 도적으로 오해해서 몽둥이를 들고 쫓아왔다. 한껏 성난 동네 청년들이 몰려왔다. 일명 삼(蔘) 공자. 그 허세 꾼을 잡으라고 했다.

"이 허풍쟁이… 뭐 삼 년만 해보자고?"

"미친놈."

삼공자 귀류는 처음이 그리도 힘들었다. 귀류는 맞아 죽을 뻔했다. 평민으로 변복해서 신분을 잠시 묻어두었다. 그리고 남의 밭에 가서, 흙을 들고 냄새를 맡고, 그리고 바람을 재고… 땅이 좋네, 아니네 떠들었다. 그러자 사람들이 미친놈이다… 겉은 멀쩡한 놈인데 머리가 돌아서 산삼을 밭에 심는다고 다들 미쳤다고 했다.

"돈을 준다니까요? 반반씩 내서 해봅시다!"

"뭣이라? 반반? 그딴 일에 뭐에 홀려서 반이나 내놔? 나도 너처럼 미치란 말이냐?"

그러자 자신이 기술도 대고 돈도 댈 테니 소출을 반반씩 나누자고 했다. 아니면 칠(七) 대 삼(三). 자신이 삼을 가질 테니 칠을 가지라고도 했다. 그러지도 않는다.

"이 미친놈아, 네놈 돈 없애는 것이야 내 알 바 아니다만 삼 년이나 밭을 못 갈면, 나는 무얼 먹고 살라는 말이냐! 이거 미친놈이 분명 하구나…"

몰래 남의 밭에 삼(蔘)을 갖다 심었다. 마을 사람들이 몰려왔다. 미친 삼(蔘) 공자를 가만 안 놔두려고 했다. 삼(蔘) 공자가 금붙이를 보여주었다. 그 금붙이를 꺼내 보여주면서 좋은 밭을 빌리겠다고 했다. 이번엔 금붙이 때문에 아예 붙잡혔다. 미친놈 신분에 맞지 않는 아주 귀한 금붙이였다. 어디서 훔친 것이 분명했다. 삼 년씩이나 산삼(山蔘)을 밭에 키운다는 평민이 가지고 있을 금붙이가 아니었다. 그래서 붙잡혔다. 읍의 수장 앞으로 끌려갔다. 그 읍(邑) 사람들의 것은 아니었다.

금붙이가 어디서 났느냐?

수장이 물었다. 삼(蔘)을 판 것이라 했다. 삼(蔘), 삼 년만 기르면 큰돈을 벌 수 있다고 했다. 자기가 그 기술을 갖고 있다고 했다. 산삼(山蔘)을 밭에서 기른다는 소리는 못 들었다. 미친놈인 듯싶었다. 수장은 그래도 고민했다. 삼(蔘)을 밭에 심자는 것 이외에는 다른 살꽃이 없었나. 밭을 살피는 것이라는 밀에 수궁도 갔다. 그 모습을 조용히 살피던 예쁜 아기씨가 있었다.

"산심(山蔘)을 산에서 기르는 것이 가능합니다. 그러면 그 산처럼 밭을 만들면 됩니다."

"그렇습니까?"

"그렇습니다. 밭을 산삼이 자라는 것처럼 만들면 됩니다. 그 조건은 제가 압니다."

읍의 수장의 큰 딸이었다. 가만히 귀류를 살피더니 나서서 말을 받아주고 거들었다. 한(韓)씨 성(姓)을 가진 읍의 수장의 딸이 곤경에 처한 삼공자 귀류를 위기에서 구해주었다. 도무지 좋은 밭을 구할 수 없다고 하니 자신의 밭을 내어 주었다. 그래서 겨우 마한 땅에서 삼밭을 시작할 수 있었다.

"좋으냐?"

"예. 좋습니다. 아주 좋습니다."

"뭐가 그리 좋으냐? 삼이 잘 자라서 좋으냐, 아니면 젊은 처자 꼬이는 것이 좋아서 좋은 것이냐? 네 부인이 그 처자를 만나는 것을 아느냐?"

"왜 이러십니까? 저는 지금 마한을 정벌하고 있습니다."

"그래서 그 처자를 먼저 얻고자 하느냐?"

근초고는 태자 귀류를 골리고 있었다. 아비와 믿음직한 큰아들은 그렇게 마한을 얻어가고 있었다.

天 하늘과
地 땅이
一 하나다

一 하나는
終 끝이
無 없는
終 끝으로
一 하나다

終 끝이

도무지 예의가 없다. 지능도 모자라고 어리다. 그런데 돌보아야 한다. 전쟁에서 백제를 지키다가 식솔을 모두 잃은 아이들을 소도(蘇塗)에 모아 지원하게 했다. 누런 황구(黃狗)들이 뛰노는 그 마을은 백제 왕가가 거주하는 고마성, 거불성, 대화성 바로 인근에 설치되어 있었다. 고하 소도는 근초고 여구의 어린 시절이 담긴 곳이었다. 세 곳에 설치했다. 한성백제와 대화성에는 이미 있었다. 그것을 확대 개편했다. 왕가의 아이들은 의무적으로 마가(馬家)와 우가(牛家), 그리고 장애가(障碍家)를 돌봐야 했다. 고하 소도의 경당(經堂)에서 백제 왕가의 어린아이들이 태국사(太國師)들을 모시고 공부도 하고 봉사하게 했다. 근초고 여구의 엄명이었다. 거기서 반드시 삼 년을 보내지 않으면 왕가의 자식으로 대하지 않을 것이다. 박사들에게 다시 삼 년을 공부하게 했다. 그러고 나서 백제 무절랑태자대(百濟武節浪太子隊)와 함께 백제의 무예와 교역, 그리고 세상 경험을 하게 했다. 그래야 비로소 백제 왕가의 후예로 인정했다. 태자 귀류는 마한을 정벌하고 있었다. 벌써 삼 년이 지났다.

"와, 벌써 삼십 개입니다."

삼(蔘) 밭이 크고 작은 것이 삼십 개를 넘었다. 이제 곧 원하는 만큼 이룰 수 있을 것이었다.

"와, 정말 잘 자랍니다. 이런 기술을 어디서 얻으셨습니까?"
"제가 신선들하고 좀 친합니다. 사람이 좋게 생기지 않았습니까?"
"그래서 몽둥이찜질을 당하실 뻔하셨습니까?"
"그래도 아기씨처럼 저를 믿어주신 분이 계시니 이 일이 잘될 수밖에요."

삼(蔘) 밭에 삼들이 잘 자라고 있었다. 씨를 뿌리고 싹이 나고 뿌리가 튼실해질 때까지 소요되는 비용을 댔다. 처음에는 한 뼘도 안 내놓던 사람들이 조금씩 밭을 내놓았다. 백제 근초고대왕의 상단들이 마한 일대의 산삼(山蔘)을 고가에 모두 사가고 있었다. 삼(蔘) 밭에 있는 삼(蔘)들이 자라면 다들 부자가 될 수 있었다. 귀한 산삼을 똑 닮았다. 하얗고 토실토실해서 더 좋아 보였다. 산삼보다 더 사람같이 생겼다.

네 이놈, 이 도적놈아-

귀류가 또 몽둥이에 매질 당할 뻔했다. 밭에 삼(蔘)이 잘 자라나 낮이고 밤이고 이리저리 살피다가 도적으로 또 몰린 것이다. 다행히 이제는 귀류의 얼굴을 다 알아본다. 그래서 맞지 않았다. 이제 마한 사람들은 스스로 나서 삼(蔘) 밭을 지켰다.

그렇게 마한 씨족 읍을 돌아다니면서 삼밭을 일궜다. 귀류는 초로(草露)와 작물박사들과 함께 마한(馬韓) 땅 곳곳을 돌며 삼(蔘) 밭을 일궜다. 하나가 되니 나머지는 쉬이 따라왔다. 땅과 사람들을 부려 산삼(山蔘)을 밭에 심게 했다. 처음에는 잘 안됐다. 열 밭을 심으니 한 밭도 잘 안 되었다. 약효가 있는 것 같지도 않았다. 그늘을 만들기가 쉽지 않았다. 귀류가 좋은 방안을 찾았다. 짚을 엉성하게 엮은 그늘 집을 만들어 주었다. 그리고 일 년이 되자, 그늘 집 아래에서 산삼(山蔘)이 잘 자랐다. 이 년째가 되자 모양이 조금 잡혔다. 더 커졌다. 색도 밝았다. 약효는 미지수였다. 초로(草露)는 약 박사들을 통해 산삼(山蔘)과 그 효과를 비교하게 했다. 한성백제의 환자들에게 써보게 했다.

"어떤가? 산삼과 비교하면 효험이 있던가?"

"아무렴 밭에서 난 삼(蔘)이 산삼(山蔘)만 하겠습니까? 아무래도 효능은 다소 떨어집니다. 그러나 그 어떤 약재보다도 좋은 것은 틀림이 없습니다."

"정말 좋더냐?"

"예. 지친 사람들에게 기력을 보하는 데는 최상의 약재입니다. 부작용이 없습니다."

"그래… 그럴 것이야. 씨는 산삼이 아닌가? 씨 종자가 어디 가겠는가! 아닌가?"

마한의 남은 세력, 네 부족국가에서 대규모 삼밭을 일궜다. 이미 한성백제 곳곳에서도 삼밭을 일구어 그 효과를 이리저리 재보고 있었다. 산삼을 대용할 훌륭한 약재였다. 6년을 키우니 그 약효가 대단했다. 대량생산만 이루어지면 백제의 가장 좋은 교역 물품이 될 터였다. 삼(蔘)을 멀리 바닷길로 팔 수 있게 해야 했다. 일본열도 대화성으로 백삼(白蔘)을 보냈더니 습기가 차서 약효를 잃었다. 귀류와 초로가 대안을 마련했다.

"말려보지요."

"말려요?"

"예, 생선도 고기도 말리면 오래갑니다. 삼도 그럴 것 아니겠습니까?"

그래서 말려도 봤다. 건삼(乾蔘)은 약재로 쓰기엔 좋으나 먹기엔 불편했다. 자주 많이 먹을 방도를 찾았다. 꿀에 넣어 보관도 하고 술에 넣어서 약효를 보았다. 탁월했다. 교역 물품으로 좋았다. 건강이다. 건강을 팔면 쌀보다 값을 크게 얻을 수 있을 것으로 생각했다.

약탕이 빈 줄 알고 오래 불 옆에 놓았는데 그 속에서 삼(蔘)이 붉고 부드럽게 만들어져 있었다. 처음엔 삼(蔘)이 상해 변한 줄 알았다. 초로(草露)가 그 약탕을 잊어버리고 있는지가 15일이 넘었었다. 그런데도 그 붉은 삼(蔘)은 먹기가 좋았다. 오히려 단맛이 나고 약효가 더 있을 듯 했다. 초로(草露)의 늙은 눈빛에 호기심이 가득했다. 우선 딱딱하지가 않았다. 먹는 재미도 있었다.

"태자님. 이게 적당히 말랑말랑 맛있고 좋습니다."

"약효가 다 떨어진 것이 아닌가?"

"그래서 약 박사들에게 알아보라고 했습니다. 쪄도 보고 삶아도 보라고 했는데 떡을 찌듯 하니 요렇게 말랑말랑해집니다. 그리고 찌면서 나온 물은 바로 약재로 쓰고요… 요런, 말랭이는 그냥 먹어도 되고… 아주 보관하기가 좋습니다. 오래갑니다. 부드럽습니다."

특히 찐 삼(蔘)이 매우 좋았다. 약효는 산삼(山蔘) 못지않았다. 오래 보관해도 되고 약효는 즉시 나타나는 특산물이 되었다. 쪄서 말리니 붉은 삼이 되었다. 해서 홍삼(紅蔘)이라 불렀다. 그렇게 삼밭을 일구고 삼(蔘)을 활용해 여러 약재를 개발했다. 그 세월이 오 년을 지나서 칠 년에 이르렀다.

삼밭을 일구는 사람들-

마한의 부족장들로서는 새로운 기회였다. 기회는 계속되었다. 백제 근초고대왕이 삼(蔘)을 계속 사줄 테니 더 많이 키우라고 했다.

칠 년을 공들였다–

밭에서 삼(蔘)들이 무럭무럭 자랐다. 산삼(山蔘)만큼은 아니지만 아주 약효가 좋았다. 그 기술을 키우는 종자 씨를 선인과 청년이 나누어주었다. 일명 삼(蔘) 공자, 귀류를 마한 사람들은 그렇게 불렀다. 읍(邑)에 배고픈 자가 없어졌다. 백제 근초고대왕이 삼(蔘)을 아주 비싸게 사갔다. 그 어떤 작물보다도 삼(蔘) 가격이 높았다.

“삼(蔘) 공자, 미안하구먼. 처음 일들은 정말 미안했으니 용서하시게…”

“그럼 다음에 제가 염치없는 부탁 하나 해도 들어주시겠습니까?”

“아무렴 그렇게 함세…”

“감사합니다.”

“감사하긴 내가 더 고맙네. 만약 자네가 혼인만 하지 않았다면 내 사위 삼았을 것이네… 또 백제 사람만 아니라면 우리 마한 네 읍을 합쳐 자네에게 왕을 하라고 했을 것일세.”

삼(蔘) 공자를 미친놈이라 여기고 몽둥이찜질을 하려 했던 마한의 국징인 한비(韓比)는 선인을 대선시키 하였고, 삼(蔘)

공자를 신선 동자라 했다. 그리고 친해졌다. 특히, 그의 큰 딸이 첫 번째로 귀류에게 밭을 주어서 가장 먼저 소출을 보았다. 칠(七) 대 삼(三). 반반씩 해도 좋은 일에 칠(七)을 얻으니 그 밭에서 십 년을 소출해도 못 얻을 것을 얻었다. 그 정도로 삼(蔘) 값이 비쌌다.

"이제 됐습니다. 이제 가뭄이 들어도 걱정이 없습니다. 곡물을 살 수 있는 부(富)가 생겼습니다."

"그렇습니다. 가뭄과 홍수가 나도 살 방안이 있어야 합니다. 마한 땅은 그 토질이 매우 좋습니다. 산세가 좋습니다. 물이 또 좋습니다. 그 좋은 것들로 더 좋은 것을 만들어야 합니다. 그래서 가뭄과 홍수가 나도 더 잘 살 수 있게 해야 합니다. 사람들이 굶지 않게 해야 합니다."

삼공자 귀류 덕분에 마한의 남은 세력, 네 부족국가가 무척 부유해졌다. 잘 살 수 있게 되었다. 그러자 더욱 백제가 필요했다. 바다 건너 삼(蔘)을 파는 백제 상단이 있어야 했다. 백제와 교역하고 함께 하는 것이 풍요를 가져다주고 있었다. 그래서 근초고대왕에게 그 뜻을 전하고자 했다.

마한이 부유해지자 침미다례와 박씨 성을 가진 이주민들이 힘을 세우려고 했다. 신라와 더불어 세력을 모아 나라를 세우려 하자, 수장들이 모였다. 수장들은 새로운 부(富)를 가져다준 것이 백제와의 교역의 소산임을 알고 있었다. 그리고 근초고대왕이 힘으로 마한을 꺾으려 했다면 벌써 할 수 있었다고도 생각하고 있었다. 이때에 마한이 부(富)를 얻게 되자 이를 탐내는 족속이 있었다. 가야계와 박씨 성을 가진 오환족 신라계였다. 다시 혼란의 세상을 겪고 싶지 않았다. 마한의 네 수장들의 회동에서 결론이 났다.

백제가 되겠습니다–

백제의 호위를 받고자 했다. 가야와 신라가 부유해진 마한(馬韓) 네 읍(邑)을 가만히 놔둘 리가 없었다. 그 두려움이 마한으로 하여금 스스로 백제의 영지를 자청하도록 했다. 그리고 그날, 마한의 수장들은 자신들을 도와서 삼(蔘)을 키우고, 기술을 가르쳐 주고, 백제와 교역도 하게 해준 삼(蔘) 공자를 보았다. 마한이 백제가 되는 날. 그날 근초고대왕과 함께 있던 이가 바로 삼공자, 백제의 태자 귀류였음을 비로소 알게 되었다.

"아, 아니… 자네는?"

"접니다. 삼공자!"

그동안 기술도 주고, 돈도 대주고, 교역도 해주면서 마한을 부유하게 한 것이 백제의 태자였던 것이다.

"왜 마한입니까? 삼(蔘)은 장백에서 태백, 한(韓) 반도에서라면 어디든 납니다."

"백제에서는 이미 열수 아래와 한수 근방에서도 삼(蔘)을 다량으로 재배하고 있습니다."

"하온데 어찌… 그 신기술을 저희에게 주시는 것입니까?"

"저는 특히 마한(馬韓)이 좋습니다. 그 물 좋고 산이 좋은… 사람이 좋은 마한이 좋습니다. 저 삼(蔘)은 사람이 좋아야 잘 자랍니다. 그 하얀 삼(蔘)은 좋은 사람들의 기운을 받아 자라기 때문입니다."

귀류 태자는 마한의 대표 읍의 한비(韓比)의 여식을 부인으로 받았다. 태자는 이미 진고도(眞高度)의 딸과 혼인하였기에 한비(韓比)의 여식은 후비가 되었다. 근초고대왕은 한비(韓比)에게 말했다.

"이미 태자 귀류와 오랫동안 함께 했으니… 누구한테 보내겠습니까?"

그 여식의 마음이 태자에게 있고, 태자 또한 그 여인을 두고는 마한을 못 떠나니 그 여식을 달라고 했었다. 마한 천자의 집안이니 그 오래된 가문의 여식을 받고 싶다고 했다. 그래서 한비가 더욱 감읍했었다.

"제가 오히려 광영입니다."

한비는 거절할 이유가 없었다. 실상 한비의 큰 딸은 이미 삼공자 귀류에게 마음을 빼앗긴 지 오래였다. 그러나 이미 혼인한 몸이라 하니 상심이 컸다. 그런데 그가 백제 태자 귀류였다. 귀류는 염치없지만… 한 가지 부탁을 들어주신다 했으니 큰 딸을 주실 수 있느냐고 했다.

그렇게 백제는 마한을 정벌 아닌 정벌로 통합했다-

그동안 한성백제와 대륙백제, 일본백제가 안정되었다. 소금과 약재, 그리고 곡물 교역으로 백제 왕가의 창고는 재물이 넘쳤다. 사방 각지에서 백제와 교역을 하고자 했다. 백제의 교역은 남방에 이르렀고 서역에 닿았다.

대백제물산전시회가 삼 년에 한 번씩 열렸다-

물산전. 근초고 여구가 대해부가에서 일할 때 백제 대천관 신녀의 신궁과 왕비가를 엮어내어 물품 전시회를 개최했었다. 당시 물산전은 대성공이었다. 여구의 말대로 대륙과 반도 탐라와 열도, 남만을 잇는 내해(內海) 물품전시회를 한성백제에서 열자 그 성과를 가장 크게 얻은 곳이 바로 대해부가였다. 온 힘을 다해 성사시켰다. 그때 대천관 신녀와 함께 의논하곤 했다. 왕비가를 설득하는 것부터 시작이었다. 어쩌면 그때 이미 진혜 대천관 신녀는 여구를 돕고 있었다. 당시 여구는 그것을 깨닫지 못하고 있었다. 우선 물산전이 급했다. 그런데 뜻밖에 대천관 신녀는 너무도 많은 것을 도와줬다. 쉽게 그 일에 동의해주고 왕비가도 그녀가 엮어 주었다. 가장 대해부가를 탐탁지 않게 생각하던 곳이 바로 왕비가였다. 그런데 한순간 태도가 바뀌게 된 이유가 바로 대천관 신녀였다. 대해부가 상대할 곳이 많아지고 좋아졌다. 그 물산전은 당시 백제에도 좋은 기회였다. 신기술들이 모이고 훗날 근초고 여구가 더더욱 백제의 기술을 발달시키려 애쓰게 한 계기가 되기도 했다.

기술은 나누면 새 기술을 만든다-

근초고 여구는 깨달았다. 물산전을 개최할 당시 열도 야마다의 공주 연희의 호위좌장이었다. 야마다는 오래전부터 한반도와 교류를 했다. 반도의 선진기술과 문화를 받아들여야 했다. 기술을 얻기 위해 열도의 소국들은 나라들 다 바친다. 야마다 또한 그리해야 나라를 유지할 수 있었다. 근초고 여구는 야마다를 통해 새로운 동명성왕검을 얻었다. 기술을 쥐고 남과 나누려 하지 않을 때, 큰 사단이 난다. 예맥 각궁을 가진 고구려를 보면 알 수 있다. 연나라 모용황이 절치부심(切齒腐心) 소탄궁을 만들어 고구려 미천왕을 죽일 수 있었다. 그런 것이다. 나누지 않으면 다른 곳에서 따로 만든다. 오히려 나누고 그들의 기술을 더 얻어 더 새롭게 발전하는 것이 더 나은 장사다. 그것이 훨씬 바람직하다. 내 것이라고 지금은 내가 우위라고 자만하고 자기만 아는 이기(利己)에 빠지면 고립된다. 고립되면 결국 썩는다. 다른 신기술이 나온다. 그것이 만고의 진리고 자연의 법칙이다.

대백제물산전을 삼 년마다 개최하였다. 개최하고 보니 백제물건이 더 많이 교역되고 있었다. 각국의 사람들이 찾아왔다. 상단들은 물품들을 가져갔다. 거대한 근초고 수군의 함선들을 보고 자신의 나라에 교역 물품을 실어 달라고 했다. 상선도 운영했다. 배도 만들어 달라고 했다. 그래서 배도 만들어 주었다. 한성백제의 부(富)가 날로 늘어날 수 있었다. 가뭄이 들면 소금

생산을 다섯 배, 열 배까지 늘렸다. 소금은 썩지 않는다. 창고에 쌓아 두고 남쪽으로 북쪽으로 가서 팔게 했다. 풍년이 든 곳에 소금을 비싸게 팔고, 쌀을 싸게 사와 흉년이 든 곳에 적당한 값으로 팔게 했다. 아주 심하게 흉년이 들면 나라가 구호했다. 대홍수가 나면 그해 가을과 다음 해 봄 누에치기를 더 장려했다. 명주 비단을 짜게 했다. 그 비단을 차라리 조금 싸게 팔아서 홍수가 난 지역에 풍년이 난 지역의 곡물을 더 싸게 사서 공급했다. 그렇게 백제의 백성을 배부르게 하려고 노력했다.

하루가 다르게 기술이 발전했다-

근초고 여구는 기술발전의 이치를 알고 있었다. 내가 가진 기술을 나누면 다른 이의 신기술이 그 기술에 합하여 더 나은 기술이 된다. 기술을 보면 또한 더 나은 신기술을 만드는 계기를 얻을 수 있다. 모으고 나누게 했다. 백제의 진기한 신기술. 게다가 각 기 다른 여러 나라의 특이한 기술들이 모이니 이를 통해 다시 더 배울 수 있었다. 근초고 여구는 그렇게 백제 대천관 신녀가 하늘에서 돕는 듯 대백제물산전을 통해 백제의 부(富)를 늘리고 있었다.

이제는 힘이다-

가뭄 끝에 엄청난 태풍이 불었다. 대륙 장강(長江)에 대홍수가 났다. 인근 일대가 온통 물바다가 되었다. 피해가 엄청났다. 장강(長江)은 대륙 남부의 거점이다. 그 일대에 두 번의 큰 태풍이 몰아쳐 대홍수를 일으키니 유민(流民)을 셀 수가 없었다. 왕조(王朝)가 다 무너져 버렸다. 성곽도 무너졌다. 백 년 안에 없던 큰 홍수였다.

절호의 기회였다—

대륙 남부 장강(長江)이 넘쳤다. 대홍수가 났다. 근초고는 이 날을 기다려왔다. 내해를 끼고 해상무역을 관장하던 백제의 상단은 곧 정보창고였다. 모든 정보를 모으게 했다. 장강을 낀 지역의 정보는 다 모였다.

"이제 그 힘을 써야 할 때가 왔다. 백제의 힘을 보여주어야 한다."

근초고대왕은 은밀히 오행장(五行長)과 두 명의 정보총책을 불렀다. 물러났던 왕비 진하연의 친척인 진성(辰星)과 진정(眞情)이었다. 그들은 아무도 몰래 측근과 장명친을 제거해 놓았다. 흑천주 진정(眞情)은 백제의 비밀 정보원이 되었다. 광명천은 백제로 들어오는 상단들을 도와 각 나라와의 교역을 지원하는 역할을 하게 하였다. 그러나 그 특임은 바로 정보 취합이었고, 각 나라의 민간(民間)에 백제의 신망(信望)을 두텁게 하는데 있었다. 보통 수해(水害)가 났을 때 백제 상단을 통해 근초고대왕의 위문품(慰問品)을 보내는 임무 등을 맡았다. 오행장(五行長)과 그 둘을 합해 일곱을 근초고대왕은 자신의 칠 형제들이라고 했다.

세상 사람들은 이들을 칠성(七成), 칠웅(七雄)으로 부르고 있었다. 여일(餘日)은 진성(辰星)의 또 다른 이름이 되었고, 여월(餘月)은 진정(眞情)의 다른 이름이 되었다. 은자(隱者)인 여수(餘水), 여목(餘木), 여화(餘火), 여토(餘土), 여금(餘金)은 근초고 군대의 수장(首長)들이었다. 근초고 군대는 어느 곳에 있는지 몰랐다. 바다 위에서 떠돌아다닌다고 했다. 한성백제에도 대륙백제에도 일본열도에서도 근초고 군대는 없었다. 보이지 않았다. 그렇게 그림자처럼 막강한 군대가 따로 바다 위에 떠다니고 있었다. 대왕이 있는 인근에 있었다. 그 군대의 숫자와 병력 숫자 등은 극비에 속했다.

백제의 전 국력을 모으라-

장강이 넘쳤다. 백 년 만에 처음 겪는 대홍수라 했다. 왕조들이 무너지고 있었다. 이제 힘이다. 힘을 가지고 대륙 남부로 향해야 한다. 그러기 위해 백제 전체 국력을 집중해야 한다. 국가 총 비상령을 내렸다. 대전쟁이 임박한 것이다.

대륙백제에도 비상령이 내렸다-

"사씨(沙氏), 해씨(解氏), 진씨(眞氏), 목씨(木氏), 국씨(國氏), 연씨(燕氏), 묘씨(苗氏), 협씨(協氏)는 전 가문에서 뛰어난 자들을 모두다 동원하라!"

총 동원령이었다. 특히, 백제 무절랑태자대(百濟武節浪太子隊)들은 아주 유용했다. 벌써 1, 2, 3기(期)가 배출되었다. 다들 전쟁을 준비했다. 단단히 마음의 준비를 해야 했다. 그동안 갈고 닦은 군사기술과 진법, 나아가 병력 운용법은 물론 나성(羅城) 축성(築城)하는 법과 군량 배급하는 법 등 전체 교육이 치밀하게 다시 진행되었다.

"백제의 전 국력을 걸어야 한다."

왕실의 독려가 대단했다. 왕비 진하연은 한성백제에서 전쟁을 준비했다. 태자 귀류가 대륙백제로 급히 나섰다. 일본백제에서 연희여황이 전력을 쏟을 준비를 서두르고 있었다. 근초고 여구는 니주벌과 대륙 북부 대방에 특히 큰 기대를 하고 있었다.

"기동력이다. 속도가 우선이다. 세 전단을 편성한다."

백제의 모든 배가 징발되었다. 상선은 상선대로 왕가에서 비용을 대고 빌려 썼다. 상단의 모든 물품과 호위 무사까지 징발했다. 일본열도 대화성에서는 특히 배와 곡물을 준비했고, 한성백제에서는 약재와 군량을 더 준비했다. 대륙백제에서는 기마병과 보병까지 뽑아냈다. 대륙에서만 무려 십만의 병사를 대기시켰다. 전 병력은 크게 셋으로 나뉘었다

"보급품, 특히 약재와 곡물에 가장 신경을 써라!"

1차로 준비된 함선만 수송선 칠백 척, 상선이 오백 척이었다. 사상 최대 상륙작전을 준비하고 있었다. 근초고 군대. 일명 바다 위의 무절랑군이라고 불리는 전투선 백 척과 상륙함 이백 척, 그리고 작고 빠르며 얕은 물에서도 운용할 수 있는 신기술 전투함선 백 척도 출동을 준비했다. 신기술 전투함선은 태자 귀

류의 생각이 담긴 새로운 전투선이었다.

天 하늘과
地 땅이
一 하나다

一 하나는
終 끝이
無 없는
終 끝으로
一 하나다

無 없는

하늘이 땅이 사람을 힘들게 한다. 대륙의 중부를 흐르는 바다 같은 강(江). 수천 년 장강(長江)의 주변은 풍부한 수량 때문에 거대한 왕국이 들어서기에 알맞았다. 제후국들이 이 장강을 다스리지 못해 흥망성쇠(興亡盛衰)를 거듭해왔다. 바로 그 장강(長江)이 탈이 난 것이다. 큰 가뭄 끝에 대홍수. 거대한 태풍이 겹쳐 지나고 나니 장강(長江)은 넘치고 넘쳤다. 장강(長江)은 예로부터 교통로였다. 대륙의 동쪽에서 저 깊숙한 곳 장강삼협(長江三峽)에 이른다.

무산(巫山)이 있다. 거기 옛 단군조선의 거점이 홀쭉하고, 험한 습곡 산맥을 관통해 흐르는 곳에 있었다. 장강 양쪽으로 솟은 높은 산들이 안개와 구름을 벗하여 산수화와 같은 풍경을 만든다. 웅장하고, 수려하며, 기괴하다고 했다. 허나 여름에 물이 불면 위험이 따랐다.

삼협은 지질의 차이에 따라 구당협, 무협, 서릉협으로 구분했다. 폭이 좁은 협곡의 부분과 넓고 완만한 관곡의 부분이 있다. 협곡은 물이 흐르는 부분이 깊게 패 있다. 양안이 우뚝 솟은 절벽이다. 어느 지역은 넓은 골짜기를 형성하고 있다. 이러니 누가 감히 공격할 엄두를 낼 수 없은 곳이다.

무산 산맥은 서남에서 동북 방향으로 뻗어 있었다. 남쪽은 높고, 북쪽은 점차 낮아지는 지형. 이 산맥들과 대파산맥 파산 사이 낮고 움푹 들어간 분지가 드넓게 펼쳐져 있다. 서릉협(西陵峡)은 삼협 중 가장 길며 무산의 동쪽에서 남북 방향으로 나란히 뻗어 있는 산맥을 장강이 차례차례 관통한다.

양안은 험한 바위 봉우리로 둘러싸여 있다. 몇 개의 사원과 취락이 차지하고 있는 것 외에 사람의 모습은 없고, 일곱 개의 계곡과 두 개의 급류가 있어 위험한 장소이다. 이 장강삼협의 줄기마다 강을 이용한 교역이 있다. 대륙의 동쪽과 서쪽이 이 강으로 연결되었다. 거기까지였다.

근초고의 야심은 장강(長江)의 옛 단군조선 고토를 확보하는 것이었다. 거기에 백제성을 쌓고자 했다. 대륙의 심장을 삼으려 하는 것이었다.

장강(長江) 하구에는 거대한 숭광도(崇曠島)가 있다. 뱃길로 만 리라 하여 장강만리(長江萬里)라고 부른다. 그 장강을 지금 가지려는 것이다. 밝달 환국의 큰 꿈은 근초고 여구가 단군총서를 보면서 구체화 했던 것이다.

보급에 국력을 집중했다. 곧 추수 시기다. 다행히 지난 10년간 한성백제는 큰 천재지변이 없고 전쟁이 없어 군량이 남아돌고 있었다.

대륙백제, 특히 대능하 강변에 심은 콩 등이 수년간 수확이 좋았다. 그래서 된장을 담게 했다. 반도의 소금과 삶은 콩을 섞어 짭짤한 된장으로 만들면 아무리 오래 두어도 좋았다. 무엇이든 담가두면 오래 보관하고 무탈한 먹을거리가 되었다. 말린 곡물을 저장하는 도기와 함께 다량으로 배에 싣게 했다.

먼저, 장강(長江) 현황이 급했다. 광명천의 정보에 의하면 각 지역의 상단은 이미 무너졌다. 본거지가 붕괴한 상단의 사람들은 흩어지고 국가도 유명무실하다 했다. 성곽도 흔적이 없었다. 장강은 그렇게 무주공산 취하는 이가 없었다. 여구는 이를 미리 알고 연구하고 있었다.

단군총서에 그리 기록되어 있었다. 거기에 장강이 백 이십 년 또는 이백사십 년을 경계로 해서 엄청난 홍수를 일으킨 흔적이 있었다. 대홍수로 큰 강들이 바뀐 이야기도 있었다. 왕조가 뒤집히고 흔적도 없이 사라졌다. 그래서 단군조선의 임금님들이 신시(神市)에서 태자 부루 천왕을 내려 보내 새로운 치수방법이나 치세를 가르친 내용이 있었다. 근초고 여구도 가만히 살피고 또 생각해보니 큰 홍수가 몇 년에 한 번씩 반복되고 있었다. 그 몇 년에 한 번 반복하기 전에 징조가 있었다. 이를 역 박사에게 환산하라고 일렀다. 그리고 알아냈다. 하늘의 천문과 장강의 범람은 연관이 있었다. 왜 단군임금들께서 하늘의 뜻을 살폈는지 깨달아졌다.

왕조(王朝)가 아니다-

천재지변(天災地變). 그 대악(大惡)을 경계한 것이다. 하늘이 무너져 비가 쏟아지고 거대한 태풍들이 일어나고 대홍수가 일면 세상은 초토화된다. 또한 인간은 짐승이 된다. 인간이 인간을 잡아먹는 세상. 도의(道義)와 도리(道理)가 사라진 아수라장이 된다. 하늘에서 비가 마르면 대지가 갈라진다. 곡물이 사라지고 다시 또 인간세상은 지옥이 된다. 그것을 단군조선은 막으려 했다. 그래서 하늘을 살피고 또 살폈다. 그 시기가 오면 대안과 대책을 마련해 인간세상을 구호했다. 그래서 하늘이었다. 그래서 신들이 사는 곳이었다.

욕심이 없는데 무슨 세상 권력에 연연했으랴…

단군조선은 하늘을 섬기는 것이 아니라 하늘을 대하여 인간세상을, 인간의 도리를 지키게 하였다. 그 천문(天文)이 장강의 대홍수를 알게 하고 준비하게 했다.

출정을 앞두고 칠석이 있었다. 근초고는 천기령에 칠성단을 준비하게 했다. 그리고 은밀하게 왕비 진하연과, 대천관 신녀인 대유현과, 두 명의 태국사 단복과 초로를 데리고 제4 용소로 갔다. 칠월칠석은 자신이 태어난 날이자 어미가 죽은 날이다. 어미와 자식이 생명을 바꾼 그날. 그래서 근초고는 생일상을 차리지 못하게 했다. 제일(祭日). 제삿날이었다. 어미의 제사. 그 어미의 희생이 오늘날 근초고를 만들었다. 그 칠석날, 천기령 칠성단에서 기도한다. 어미에게 절을 하고 희생제물을 올려 근초고는 이번 출전을 위해 기도했다. 하늘의 재앙과 싸웠던 그 단군천왕들처럼 자신도 인간세상을 위해 하늘의 재앙을 이기게 해달라고 했다. 어미의 아픔이 서린 천기령에서 그렇게 세상의 아픔을 달래는 출정식을 올렸다.

가자–

장강(長江) 포구로 향하는 길보다 장강(長江)을 지나는 길이 더 길다. 홍수는 잦아들었지만, 민심(民心)은 흉흉했다. 백제의 장강 일원 정벌을 위해 작전회의가 수시로 벌어졌다.

"장강은 바다로부터 발원지까지 들어가면 크게 세 지세(地勢)를 형성하고 있습니다. 상, 중, 하류 3개 구역으로 분류해보면 발원지 설산에서 의창(宜昌)까지가 상류입니다. 의창에서 파양호(波陽湖) 입구까지가 중류, 그 이하를 하류로 볼 수 있습니다. 고원 한가운데를 흐르는 폭이 넓고 얕으며 유속이 완만한 통천하(通天河)입니다. 그다음 옥수(玉樹)에 있는 파당하(巴塘河)의 입구에서 높은 산과 깊은 계곡 사이로 급류가 흐르는 금

사강(金沙江)이 있습니다. 여기는 천강(川江)입니다. 지성(枝城)에서 동정호(洞庭湖)의 성능기(城陵磯)는 형강(荊江)입니다. 진강(鎭江) 일대의 구간은 양자강(揚子江)이라 합니다."

은자들을 동원하고 칠웅들이 본격적으로 활동하기 시작했다. 보고가 연이었다.

"장강은 많은 지류를 거느리고 있는데 지류만 하여도 4백 갈래가 넘습니다. 그중에서 가능강(嘉陵江), 여능강(餓陵江), 민강(岷江), 한수(漢水), 대도하(大渡河), 오강(烏江), 상강(湘江), 원강(沅江) 등이 가장 큽니다. 그 밖에 장강 유역에는 호수들이 아주 많습니다. 오랜 치수의 흔적입니다. 그 호수와 장강 사이에 바로 성들이 있습니다. 장강은 경작지가 많습니다. 그리고 목면화의 최대 생산지이기도 합니다. 백제와 교역량이 가장 많은 곳은 옛 오나라와 월나라가 있던 양주, 광주지역 상단입니다. 이곳이 지금 무주공산(無主空山)입니다. 대홍수의 피해가 가장 큽니다."

명문세가들의 역할이 매우 클 것이다. 장강 하구는 사씨(沙氏)의 본고장이고 목씨(木氏)와 국씨(國氏)는 중류, 묘씨(苗氏), 협씨(協氏)는 상류에 그 근거지가 있었다. 드넓게는 황허와 장강 사이에 이들의 거대한 씨족들이 퍼져 있었다.

먼저 연고(緣故)를 찾아 씨족들부터 보냈다-

곡물과 약재를 가지고 갔다. 곡물을 거저 나눠줄 수 없었다. 대가가 있어야 했다.

묘씨(苗氏), 협씨(協氏)는 상류에 백제성을 쌓게 했다. 협곡의 거점을 고르게 했다. 백 년 홍수를 생각해 길과 위치를 고려했다. 특히,, 포구와 적당한 거리가 있어야 했다. 장강삼협의 거점으로 생각했다. 그곳 인근에 상륙해야 했다. 목씨(木氏)와 국씨(國氏)는 중류의 각 지류 연결점에 있는 나성(羅城)들을 복구하게 했다. 그리고 제일 중요한 사씨(沙氏) 씨족들에게 양주와 광주에 대해 폭넓은 해안 성(城)을 복구하게 했다. 일단 성곽을 쌓도록 했다. 그 비용은 곡물과 약재였다.

우선 곡물을 풀었다. 동시 다발적으로 해야 했다. 그래야 한 번에 여러 곳에 거점을 만들 수 있었다. 거점들이 연결되면 거기가 곧 백제의 영토가 될 것이었다. 차계생단(借鷄生蛋). 닭을 빌려 달걀을 낳게 한다. 이는 백제의 고도 전략이 숨어 있었다. 백제는 신라 가야와도 통교했다. 연나라와도 그리했다.

흑천이 움직였다. 밀무역, 사무역으로 각종 곡물을 다량으로 사들였다. 값을 후하게 쳐서 소금과 비단을 주었다. 특히, 연나라에서는 양과 사슴, 콩 등을 엄청나게 사들였다. 대방백제 인근에서는 말과 곡물을 샀다. 밀무역을 통해 고구려의 곡물과 말들이 몰래 국경을 넘었다. 태자 귀류가 이 일을 맡았다. 고구려를 견제하기 위함이었다. 백제의 국력이 전체적으로 대륙 남부에 가 있을 때 고구려가 준동하면 안 될 일이었다.

"전체 물량이 어느 정도가 되오?"

"고구려 상단에서는 이런 기회가 없다고 합니다. 무려 말이 이만이요. 곡물이 오천 섬이 넘습니다."

"더 빼내오시오. 고구려에서 곡물을 더 사들이시오. 소금과 비단, 황옥, 청옥 등 줄 수 있는 것은 다 주어 곡물과 말을 빼내오시오! 알겠소?"

"예. 그리하겠습니다."

왕가는 물론 왕비가와 일본 대화성의 보물창고도 다 열었다. 백제에서도 무척 귀한 보물들이었다. 군수물자를 제외한 이국들의 진기한 물품들이 곡물과 말로 바뀌었다. 이는 왕비 진하연의 지혜였다.

“대왕께서 염려하시는 것을 풀었사옵니다. 가장 큰 적인 고구려에서 곡물과 말을 최대한 사들이겠습니다. 만약 대왕의 군대가 장강에서 장기전으로 빠지면 한성백제와 대빙백제가 위험해집니다. 이를 방지해야 하는데, 고구려는 아직 여력이 없습니다. 그렇다고 방심할 수는 없는 터, 이를 막기 위해 고구려가 군대를 일으킬 때 필수품인 말과 군량미를 빼내겠습니다.”

가우리. 고구려는 백제의 상대국이다. 백제의 본거지가 빈다. 고구려에 절호의 기회가 될 것이다. 그래서 진하연의 닭을 빌려 달걀을 낳게 한다는 차계생단(借鷄生蛋)은 좋은 생각이었다. 차계생단(借鷄生蛋)은 연나라에도, 가야와 신라에도 이루어졌다. 반(半)으로 두 배를 벌면 네 곱 장사다. 그 반(反)마저도 전쟁에서는 하등 쓸모없는 패물들이었다. 그러나 곡물과 말은 다르다. 군대를 동원하려면 막대한 전비가 든다. 그 중 곡물은 가장 중요한 무기다. 활과 칼이 없으면 돌과 나무를 들고서라도 전쟁을 치를 수 있다. 그러나 식량이 없으면 아무것도 없는 것이다. 군대가 전쟁을 할 수 없다.

화살 하나로 두 마리의 독수리를 잡는 일전쌍조(一箭雙雕)요, 일거양득(一擧兩得)이다. 하나의 전략으로 두 가지 또는 그 이

상의 일전다조(一箭多雕)의 효과를 거두는 것이다. 왕비 진하연은 지혜(智慧)가 있었다. 전쟁에 임하면서 근초고는 왕비 진하연의 군수조달 능력에 다시 한 번 감탄한다.

다 혼자 하시겠습니까-

왕비 진하연은 근초고 여구가 한성백제로 돌아왔을 때 새로운 군 체제를 제시했다. 전 내신좌평 진루의 아들이자 부왕 비류왕의 왕비 진하료의 남동생 진하이(辰河夷)를 시켜 근초고대왕의 백제군 편재를 구상하게 했다. 그 결과에 대해 근초고 여구는 감탄했었다. 진하이(辰河夷)는 계왕 설거에게서도, 근초고 여구에게서도 반겨질 사람이 아니었다. 소외된 진하이(辰河夷)가 실은 군을 편재하고 군수를 조달하는 데 탁월한 재능을 가지고 있었다. 내해(內海) 일원에 퍼진 백제군을 어찌하면 효율적으로 운용할 것이냐… 곳곳에 퍼져 있는 백제군 전력을 어떻게 강하게 유지할 것인가? 동시 다발적으로 전쟁이 나면 어찌할 것인가? 그것이 곧 백제의 위기임을 왕비 진하연과 진하이는 간파했다.

대비가 필요했다. 군비를 최소화하고 상대를 겁먹게 하여 묶어두면서 동시에 반역이 일어나지 않게 해야 했다. 그래서 근초고의 그림자 군대가 탄생했다. 바다의 무절랑군이었다. 무절랑군의 편성은 백제의 경제와 관계가 있었다. 무절랑군은 15세 이상이면 징병 되는 일반부역병들이 아니었다. 일 년에 얼마씩 품삯을 받는 직업군사들이다. 무절랑은 곧 씨울이비, 무사다. 전투력이 월등히 나아졌다. 경험과 경륜, 숙련도에서 차이가 났다.

내해 일원에 전투함과 상륙함을 순회시켰다. 어느 한곳에도 장기적으로 머무르지 않았다. 그 함대가 있는 곳은 누구도 알지 못했다. 오직 왕가에서만 알았다. 그리 운용하기로 했다. 즉시 상륙이 가능한 병사들로 삼만을 유지하게 했다. 훈련병 이만을 포함하면 총 오만이었다. 상륙함만 오백 척에 전투함 이백 척이다. 전투함은 보급선을 겸하며 기타 보급을 위해서는 왕가의 상단이나 지역 상단들의 모든 보급품을 징발할 수 있게 했다. 각 지역의 해안 성(城)들에는 언제든지 근초고 군대가 도달할 수 있는 선착장이 마련되었다. 근초고 군대는 바다에서 강으로 언제든지 진입할 수 있도록 신기술 전투선도 개발했다. 바닥이 평평한 배는 강 위에서 뗏목처럼 운영되었다. 강변에 흔히 설치된 성곽을 공격하기 위한 신무기들이 장착되어 있었다.

진하이는 각 지역성에서의 정보에 대해서 해상무역을 담당하는 교역 상단과 이를 지원하면서 정보를 얻는 광명천, 밀무역과 사무역을 담당하는 흑천을 따로 두어 각국의 정보를 서로 교차하여 검증하도록 했다. 공식적인 정보기관이 아닌 정보망인 두 기관은 수시로 국가의 중대사들을 경제 이문의 측면에서도 다루었다. 그 방안(方案)을 바로 진하이(辰河夷) 그가 짰다.

태자 귀류와 함께 진하이(辰河夷)는 지금 고구려 곡물과 말을 수입하는 밀무역 상인들을 독려하고 있었다.

도박-

명도전과 반월전이 주효했다. 화폐생산량을 일시에 다섯 배로 늘렸다. 그리해서 백제가 가진 곡물과 물품보다 두세 배의 것을 장강으로 이동시킬 수 있었다. 즉 백제는 자신의 군량과 물품 이외에도 적인 고구려를 비롯해 연나라와 신라, 가야, 남만 등의 내해(內海) 일원 전 국가들로부터 물량을 공급받았다. 방식은 반은 선(先) 결제였고, 반은 후(後) 결제였다. 기간은 일 년. 이제 백제의 대 도박이 시작되었다. 남의 닭을 빌려 달걀을 낳게 해야 한다. 그 닭이 바로 장강이었다. 외국에서 돈을 빌려 다시 국외에 투자하여 돈을 버는 것이 이에 속한다. 남의 닭을 빌려 달걀을 낳게 하면, 이익만 남는다. 이것이 병법이다.

또 다른 이익은-

백제 주변국들의 전쟁을 막을 수 있다는 것이다. 이제 뒤가 시원하다. 고구려의 침입을 걱정할 것이 아니었다. 진하이(辰河夷)와 태자 귀류의 임무는 매우 성공적이었다. 고구려의 말 삼만 필이 들어왔다. 고구려의 곡물도 반년 치가 넘게 쌓였다. 이제 준비는 다 되어가고 있었다.

장강에서는-

이제 단 한 가지 일벌백계(一罰百戒). 상징이 필요했다. 속속 각 성곽이 제 모습을 찾아가고 있었다. 근초고 여구가 일러준 대로였다. 대왕은 이미 한 번 이 일을 해보았다. 곡물로 백성을 산다. 곡물이 백성을 만들고 나라를 세우게 한다. 그 이치. 대해부의 평생 숙원이었던 나주벌을 얻게 해주었다.

나주벌에서도 그 방법을 썼다-

가장 어렵고 힘든 것이 굶주린 자들을 다스리는 것이다. 굶주린 백성은 성난 파도와 같다. 순풍(順風)도 아니고 역풍(逆風)도 아니다. 혼풍(混風)이다. 혼풍은 다르다. 이리저리 흔들리는 바람. 굶주린 백성은 그런 혼풍(混風)으로 배, 왕조를 뒤집어 버리는 힘이 있다.

그 당시 나주벌에서 연희와 여구는 순식간에 점령했다. 최대의 무기는 쌀이었다. 일 년에 삼모작으로 하는 남만에서 헐값에 들여온 쌀. 그 쌀이 정벌군이 가져간 가장 큰 무기였다. 근초고 여구는 그때 이미 알고 있었다. 가장 큰 것이 가장 원하는 것이다.

절실한 것. 대홍수와 가뭄으로 고향을 등질 수밖에 없는 사람들… 유민(流民)들에게 곡식을 나눠줬다. 지금 열 섬을 주고 나중에 열한 섬을 받는다고 했다. 농기구들을 나눠준다. 그 값은 천천히 곡물로 받는다고 했다. 쇠갈고리를 주어 스스로 방비하도록 했다. 농민이자 도적을 막는 부역 병으로 농민군이 되도록 했다. 철제 농기구를 주고 읍을 만들라 했다. 곡식 창고 옆으로 집들이 모이고 촌장(村長)은 무기이자 농기구를 가지고 마을을 지키게 했다. 자미산성과 무곡산성, 금성을 쌓았다. 거기에 또 곡식을 쌓아두어 언제든지 더 구호할 수 있게 했다. 그렇게 멀리서 배를 타고 온 남만의 곡물들이 나주벌에 뿌리를 내렸다.

이제 그 백성을 사고 영토를 넓히는 강시

굶주린 백성이 모였다. 계속 모여들었다. 물이 훑고 간 황무지가 되어버린 농토. 이제 그 땅에 씨 종자가 뿌려졌다. 장강 일원은 일 년에 이모작이 가능한 곳이나. 6월 대홍수가 났으니 7, 8월 새 씨를 뿌리고 11월이면 소출을 볼 수 있을 것이다. 단기간에 소출할 수 있는 것을 몇 년간 장강에서 온 상단들을 통해 알아 놓았다. 치밀하게 장강을 연구해 놓았다. 소출은 장사다. 그 소출이 바로 선 결제한 물품의 나머지 반, 후결제 내용이다. 거기에 근초고의 또 다른 전략이 있었다.

적으면 싸운다-

작물 씨종자를 나눠주면서 소출 열섬 중에 한 섬을 받기로 했다. 나머지는 유민들의 것이라고 했다. 그리고 근초고의 특명을 받은 명문세가들은 자신들의 씨족들을 모아 장강(長江) 곳곳에 교역장을 세웠다. 백제성과 백제현들이 서고 있었다. 먼저 곡물을 나눠주었다. 줄 때 많이 주었다. 충분할 정도로 많이 주었다.

많이 주면 오히려 덜 든다-

많으니까 다툼이 없다. 부역하면 바로 곡물을 나눠줬다. 성(城)을 쌓으면 남자건, 여자건, 어른이건, 아이이건 하루 끼니가 넘는 곡식을 받을 수 있었다. 대홍수에 집도 모든 것도 다 잃었다. 홍수에 먹을 것을 찾아 이리저리 떠돌아야 했다. 그 떠도는 수가 수백만이 넘었다. 그런 대혼돈기에 어느 왕조 하나 곳간을 열 수 없었다. 그럴 수 있는 곡식이 쌓인 곳간도 없었다.

산성(山城)에 숨어 자신의 백성만 살게 하는 데에도 급급했다. 그런데 어떻게 그 많은 수의 유민을 돌볼 것인가?

그래서 근초고는 동시 다발적으로 구제에 나선 것이었다. 백제가 무너진 장강 일원의 성(城)들을 새롭게 더 높이 쌓았다. 백 년 홍수가 닥쳐도 넘치지 않을 것 같았다. 바로 한 달 전 보았던 그 홍수 물 높이보다 조금 더 높게 쌓았다. 부역하는 유민들에게 말했다. 성을 쌓고 원하는 자들은 모두 그 성에서 백제 백성이 되어 살게 해주겠노라고…

곡식을 배에 가득 싣고 왔다. 일을 주고, 먹을 것을 주고, 살 곳을 만들어 주었다. 그리고 백제의 성(城)을 쌓게 하고, 수마가 할퀴고 간 땅에서 씨 종자를 주고, 농사를 독려했다. 열에 하나. 그렇게 셈을 했다. 열 섬을 받으면 열한 섬으로만 돌려

달라고 했다. 그래서 각 유민은 떼를 지어 읍을 만들고 백제현을 자처했다. 백성(百姓)이 모였다.

빚을 진 자들—

그렇다. 백제에 빚을 진 자들이 바로 백성(百姓)이다. 그 사람들이 진정한 백성이다. 유민들이 빚을 지었다. 부역의 의무와 군역의 의무가 생긴다. 나라는 울타리다. 굶는 백성에게 나라는 무의미하다. 백제는 이번 전쟁으로 가장 많은 백성과 영토를 얻을 것이라 확신했다.

대왕이시다—

큰(大) 왕. 크게 팔 벌린 사람. 근초고대왕은 그 마음으로 죽염(竹鹽)을 나눠주었다. 홍수로 풍토병으로 물이 나빠 겪는 가장 큰 병이 설사요 위장병이며 온갖 피부병이다. 그런 자들에게 죽염(竹鹽)을 주면 차츰 상태가 나아졌다.

어린아이들에게 희망을 주기 위해 각지에 경당(經堂)을 차리고 백제(百濟) 학당(學堂)을 만들었다. 고하 소도에서 그랬던 것처럼 아이들에게 양계(養鷄)를 가르쳤다. 닭을 키우고 닭의

알을 계속 부화시키게 했다. 닭과 더불어 대륙백제와 한성백제에서 풍토병에 아주 강한 오리들을 많이 가져왔다. 오리가 홍수지역에서는 많은 일을 했다. 벌레를 잡아먹었다. 더러운 물에서도 잘 자랐다. 청소부 역할을 오리가 많이 했다. 농사에도 큰 도움이 되었다. 오리 알은 전량 부화시키는 데에 썼다. 닭과 오리는 아이들의 몫이었다. 그 아이들이 자라면 백제인이 될 것이다.

아이들을 백제인으로 기르기 시작했다. 가르쳤다. 근초고대왕이 지나가는 곳의 백성은 모두 칭송했다. 그것은 새로운 임금의 모습이었다. 염려하고 위하며 먹을 것을 만들어주는 임금이었다. 장강의 불쌍한 민초(民草)를 진정으로 위하는 임금이 나왔다. 해상제국을 꿈꾸는 백제 근초고대왕이었다.

온갖 필수품들-

공급해주고 있었다. 이문이 없었다. 백성을 얻기 위해 필수품들을 나눠주었다. 각 지에 크고 작은 의약방들이 지어졌다. 백성의 아픔이 치유되고 있었다. 온갖 약재들이 백제의 힘과 위대함을 보이고 있었다. 장강 일대는 이제 백제 사람들이 언제쯤 오나 하고 기다렸다. 근초고대왕의 계산은 딱 맞아떨어졌다. 일

년 안에 장강을 원상 복구하고, 이 년이면 들인 돈을 되찾고, 딱 삼 년이면 대흑자가 시작된다고 생각했었다.

기후가 좋다—

곡창지대. 더구나 백제에는 신농법이 있었다. 백성은 한두 해 흉년이 들어 제 식구들이 사흘을 내리 굶으면 난민이 된다. 농민이 변해 도적이 된다. 관리들은 이때에도 인정을 두지 않았다. 조금이라도 세를 징발하기 위해 더욱 가혹해진다. 이런 악순환을 바꾼 사람이 근초고 여구였다. 조금씩 나눠주었다면 싸웠을 것이다. 그런데 자신들이 먹을 만큼 있다는 것을 보여주었다. 게다가 성(城)에 기마군대와 더불어 군량미, 구휼미까지 쌓아 놨다.

곡물에 대한 미련이 없어지자 백성은 순식간에 순한 양이 되었다. 거기에다가 일시적으로 생산량을 확대할 수 있는 철제 농기구를 주고, 저수지 보를 다시 쌓게 했다. 이는 다 훗날의 이문이다. 다 계산해서 거둘 수 있다는 셈이 끝나 있었다. 보를 쌓은 곳은 백제의 경작지다. 그 경작지에서조차 10의 2만 거두기로 했다. 나머지는 농노(農奴)들의 것이라 했다. 8이 소작의 품삯이었다. 옛 단군조선의 셈법이었고 나주벌에서도 그 효과가 탁월했다. 유민들이 처음에는 믿지 않았다. 그러나 그렇게 했다. 거기에 백제의 위대함이 있었다. 근초고 여구만의 상재(商材)가 빛나고 있었다.

마음-

얻고 있는 것이다. 하늘의 재앙에 나라를 잃고 유민(遺民)이 되어 떠돌아다니는 도적(盜賊), 유민(流民)이 되었는데 지금은 백제인이 된다. 각 성곽 앞은 곧 교역장이 되었다. 훗날 이곳이 장강 일원의 백제성이고 백제현이다. 그렇게 대대로 그 마음이 이름으로 전해진다.

天 하늘과
地 땅이
一 하나다

一 하나는
終 끝이
無 없는
終 끝으로
一 하나다

終 끝으로

일벌백계가 장강 하구에서 있었다. 산성(山城)에 도피했던 진(晉)의 황제(皇帝) 여수가 군사를 일으켰다. 그 군대가 오만 명을 넘었다. 지원군도 있었다. 실상은 진(晉)을 추동하여 북쪽의 진(秦)나라 군사 삼만 명이 함께 진격해온 것이었다. 땅과 백성을 백제에 다 빼앗긴다고 하여 진(晉)의 황제가 군사를 일으킨 것이다.

"백제를 공격하라! 우리의 영토를 빼앗기지 마라."

"이 땅은 원래 우리의 것이다. 나는 이 땅의 원주인 사씨(沙

氏) 후예 백제 달솔 사철우(沙鐵牛)다!"

원주인. 진(晉)은 진(秦)에 밀려와 장강 중 하구까지 온 것이다. 그런 진(晉)이 원래 주민, 토박이 사씨(沙氏)의 후예들을 쫓아낼 수는 없었다. 농민들이 백제에 가세했다.

"너희는 홍수가 난 땅과 굶는 백성을 버리지 않았는가?"

그때 홍수가 나자 산성으로 대피한 진(晉)의 귀족들은 백성을 버렸다. 그들은 백성이 배고픈 도적으로 변하자 산성(山城) 문을 주저 없이 굳게 닫아버렸다. 그리고 그 높은 산성(山城) 위에서 배고파하는 유민(流民)들을 그저 내려다보았다. 이미 그들의 백성이 아니었다. 그런 아픔의 사연을 겪은 서러운 백성이 진(晉)을 거부하고 있었다.

곧 지원군이 온다-

근초고 군대가 도착하기 전까지… 2만의 농민군과 함께 달솔 사철우(沙鐵牛)가 백제 무절랑군 1만으로 나성에서 5만의 병사들과 대치했다. 삼일 낮과 밤을 겨우 버티고 있을 무렵.

왔다-

바로 그 삼일 째, 진(晉)의 황제(皇帝) 여수의 도적떼들은 하늘을 새빨갛게 덮는 불덩어리들을 보아야 했다. 그리고 불지옥을 경험해야 했다. 반나절 동안 진(晉)의 군사들은 불구덩이에서 헤맸다. 무려 이만이 죽었다. 근초고 군대의 삼백여 척의 상륙함에서 쏟아져 나온 경기갑병들은 항복하지 않은 진(晉)의 병사들을 무참히 도륙했다.

"살려주지 마라!"

공격명령을 내리는 근초고대왕은 하늘에서 인간세상을 벌주러 내려온 신장(神將) 같았다. 근초고가 휘두르는 칠성검에서 빛이 번쩍거렸다. 멀리서 본 근초고대왕은 곧 태양이었다. 왜 일본무존이라 불리었는지 알 것 같았다. 그 빛의 검이 번쩍거릴 때마다 화과탄이 하늘을 가득 메웠다. 불덩어리들이 대지에 가득해 불지옥을 만들고 있었다.

그 무서움에 진(晉)은 물론이고 농민군과 사씨(沙氏)의 후예 사철우(沙鐵牛)조차 간담이 서늘해졌다. 지옥의 아수라 군대 같았다. 일시에 일어났었다. 불덩어리들이 내리쳤다. 철갑기마대가 배에서 쏟아져 나와 불지옥을 누볐다. 거기에는 오로지 죽음을 맞이해야 하는 진(晉)의 군사들밖에 없었다. 진(晉)의 황제가 서북쪽으로 도망쳤다. 산성(山城)으로 흘러들어 숨으려 했다. 근초고 군대가 이를 용납하지 않았다. 근초고 군대에 진(晉)의 황제 여수는 계속 쫓겨 다녔다. 백성은 그를 애(哀) 황제라 불렀다. 애달픈 황제였다.

그것이 단 한 번의 일벌백계(一罰百戒)였다-

그 일 이후 장강 일원의 사람들은 근초고 군대를 사신대(死神隊)라고도 불렀다. 죽음의 군대. 항복하지 않은 자들에게는 인정이 없었다. 씨를 말렸다. 근초고 군대와 충돌하면 거의 전멸이었다. 싸울 힘이 없어진다. 말은 미친다. 칼을 들 힘도 잃는다. 그런 근초고 군대가 곳곳에 깃발을 날리기 시작했다.

재건이다-

무너졌던 성곽들이 다시 쌓이고 근초고대왕의 군대주둔지들이 완성되면서 산성(山城)을 하나씩 늘려나갔다. 산성(山城)에서는 이미 근초고대왕의 상징인 황색 깃발을 준비하고 있다가 그의 군대가 보이면 깃발을 먼저 걸어 맞이하는 곳도 있었다.

마음부터 무너졌다. 공심위상(攻心爲上). 마음을 공략하는 것이 상책이다. 전술 중의 전술은 곧 적의 마음을 공략하는 것이다. 싸우기 전에 마음이 꺾인다면 승부는 이미 난 것이나 다름없다. 지장(智將)일수록 심리전에 강하다. 그 심리전에는 명분도 매우 중요하다. 명분 없는 싸움이란 혼이 없는 사람처럼 껍데기에 불과한 것이다.

우리의 옛 땅이다-

이곳은 원래 우리가 주인이다. 각 씨족 장들의 협상이 눈부셨다. 근초고 군대의 위용이 앞에 보이면 협상은 빨라졌다. 산성(山城) 수비대는 어서 항복을 받아주기만을 바랐다. 불지옥을 경험하고 싶지 않았다. 진(晉)의 황제가 잘못을 인정하여 백성이 붙여준 이름 그대로 스스로 슬플 애(哀)를 써서 애황제라 칭하고 화친을 청했다.

"대왕이시어. 이 땅의 주인인 밝달 환국과 단군조선의 후예인 백제에 대항한 진(晉)을 용서하시기 바랍니다."

근초고대왕이 받아주었다. 그리고 이때 진(晉)의 연호를 융화(隆和)라 했다. 다시는 백제에 저항하지 않겠다고 했다. 모든 사상과 이념, 인종과 종교, 다양한 문화들을 극복하고 포용하는 자연 친화적 융화(隆和)로 백제의 모든 것을 받아들이겠다고 했다.

태양이다―

백제 근초고대왕의 예상이 맞았다. 대홍수 뒤에는 햇볕이 좋았다. 소출이 생각보다 많았다. 후에 치르기로 한 값을 다 치르고도 조금 남았다.

고구려, 신라와 가야에는 장강의 산성(山城) 성주들이 모아 바친 금, 은, 보석으로 갚았다. 지금 같은 환난의 때에 금, 은, 보석이 무슨 소용이 있겠는가. 금, 은, 보석은 그저 왕가의 탐욕만을 키운다. 근초고는 그리 생각했다. 밀무역을 통해 모두 고구려와 신라, 가야로 보냈다. 그리고 다시 곡물과 말을 받아오게 했다. 그것이 국력이었다.

값을 올려야 한다―

연나라에는 철제 화폐와 약재로 대신했다. 남만에도 약재가 최고였다. 장강을 거슬러 올라가 백제성에서는 여러 삼(蔘) 제품이 최고의 인기였다.

반년도 안 되어 백제의 영역은 장강 일대로 확대되었다. 그 소문에 각 읍과 성들이 백제에 속하기를 원했다. 그래서 근초고는 각 성과 읍을 구분하여 백제의 명문세가를 중심으로 그곳을 제후국으로 만들기로 했다.

장강 하구는 사씨(沙氏) 사철우(沙鐵牛) 달솔에게 태수를 맡겼다. 목리나(木理那)와 국자한(國子邯) 달솔은 각각 장강과 황하 사이를 크게 둘로 나누고 있던 목씨(木氏), 국씨(國氏) 근거지를 거점으로 태수를 맡겼다. 묘씨(苗氏) 묘우치(苗宇治)는 설산 가까이에 식읍을 내렸다. 협기랑(協基郞)에게는 백제성이 있는 장강삼협, 즉 장강의 상류와 중류 사이 그 협씨(協氏) 근거지에 태수로 봉해 성(城)과 식읍(食邑)을 하사했다. 그리고 제후로서 왕가의 사람을 보내기로 했다. 그리고 각 태수의 딸들은 왕가의 자식들과 혼인을 시키기로 했다.

장강(長江)에 별도의 근초고 수군부대를 하나 더 육성하기로 했다. 그 일은 진하이(辰河夷)가 당분간 맡기로 했다. 진하이(辰河夷)는 각 지역 태수나 지역 왕들의 명령이 아닌 근초고의 명령만 받들게 되어 있었다.

근초고의 장강부대는 경기갑병 일만 명에 오십 척의 전투선과 백오십 척의 상륙함으로 구성했다. 장강 일원의 수륙거점을 보호하게 했다. 어느 한 곳에서 반란이 일면, 주변의 지방태수와, 지역 왕들의 군대와, 근초고 장강부대가 연합했다. 먼저 돌진하는 주력 정예군과 지원군 체제로 이원화하여 반란을 토벌하도록 했다. 이제 백제의 영토는 대륙 북부와 남부 동해안 일원이 다 포함되었다.

황하, 사이에 끼었다-

장강 일원이 안정되자 백제의 교역량은 전체적으로 열 배가 넘게 신장하였다. 장강은 바로 대륙 동서를 잇는 교통로였다. 그 부(富)가 백제 왕궁에 쌓였다.

삼 년간-

풍년이 들었다. 그리고 다시 이년을 더 준비했다. 대륙백제 남부와 북부 사이에 황하가 있었다. 그곳을 노렸다. 근초고는 모용란이 낳은 둘째 아들, 왕자 귀선과 함께 진성(辰星)과 진정(眞情)으로 하여금 황하를 넘나들게 했다. 지형지물을 익히라 했다. 그리고 조용히 때를 기다렸다.

기동대 칠만-

우선 남부에서 천천히 모병(募兵)하여 군대를 키웠다. 대륙 남부 동해안 쪽의 각 성과 태수들에게 명해 정예병으로 칠만을 모아서 혼재시켰다. 진하이(辰河夷)는 이를 기마지원군으로 편성했다. 고구려와 연나라로부터 사들인 말들을 훈련해 칠만의 별동대를 만든 것이다. 대륙 남부에 새로운 근초고 기마부대를 만든 것이다.

황하-

원래부터 황색(黃色)이 아니다. 발원지 황하는 거울처럼 맑고 깨끗하다. 그러나 중류에 이르러 황토 고원을 지나면서 변한다. 지류인 심하(沁河), 우하(渭河)가 대량의 모래를 안고 황하에 흘러든다. 그때부터 황하의 물빛은 누렇게 변한다. 북쪽의 장성으로부터 시작해 남쪽의 진령(秦嶺)산맥에 이르며 서쪽의 일월산(日月山)부터 동쪽의 태행산(太行山)까지… 황하는 바로 이 황토 고원의 산물이다. 수천 년 이래 황하는 끊임없이 이 황토 고원을 흘러 황토와 모래를 실어다 화북(華北) 대평원과 발해

(渤海) 연안에 쌓았다. 그 삼각주가 풍요로운 곡창지대를 이루고 있었다.

황룡(黃龍)이다-

황하가 구불구불 황토 고원을 흘러 지날 때 황하는 옛 단군조선의 선인들에게 관개와 수상운수의 편리를 제공하였다. 여러 곳에 분산된 원시 부족들은 황하를 끈으로 서로이었을 것이다. 황하와 그 주변의 많은 지류는 원조(元朝) 문화권의 혈관을 이루어 그들의 성장을 지탱하였다. 황하 중류의 관중(關中) 평원과 진서남(晉西南) 분지, 그리고 예서(豫西) 연안지역은 고대 원조 문화권의 주요한 발상지이다.

흙-

땅을 알았다. 수(水), 목(木), 화(火), 토(土), 금(金) 오행의 중심에 토(土)를 놓았다. 그 토 중의 토가 바로 황토(黃土)이다. 그래서 황토(黃土)는 황무지 드넓은 척박한 황토(荒土)요, 개척해야 할 땅이다. 이 황토가 바로 황제의 땅, 밝달 환국의 밝은 나라를 떠받들었던 황토(皇土)였던 것이다.

황(皇)은 상형문자 백(白)을 가지고 있다. 희다. 밝다. 밝아지다. 빛난다. 깨끗하다. 분명하다. 아뢰다. 위에 있는 밝은 그 무엇이다. 그 백을 이고 있는 왕(王)이 바로 황(皇)이다. 왕(王)은 큰 사람이 땅을 딛고 일어선 모양이며, 때론 도끼를 내려치는 모양이 바로 금석문에 쓰인 왕(王)의 뜻이다. 도끼. 임금의 그 문자에 흰 백이 합쳐졌다. 밝은 나라를 모신다는 뜻이다. 금옥 관을 머리에 쓰고 빛을 내는 왕이라는 뜻이다. 그 황제의 땅 중에서 가장 중요한 땅을 지금 근초고가 노리고 있다. 탁록대전으로 불리는 헌원과 치우대의 그 전투를 다시 치르려 하는 것이다.

황토 고원에는 원조문화를 상징하는 앙소(仰韶) 문화가 있었다. 그들은 조나 벼와 같은 농작물을 재배했다. 돌로 가공된 도끼나 삽과, 뼈로 만든 칼이나 바늘도 사용했다. 그들은 토기로 된 물레를 만들어 황토에서 나는 야생마를 원료로 실을 뽑고 천을 짜고 베옷을 만들었다. 그들은 또 황토의 점액성을 이용하여 견고한 황토 도기도 구웠으며, 거기에 예쁘고 화려한 꽃도 새겨 넣었다. 그들은 주로 굴을 파고 살았는데 흙으로 집을 짓기도 했다. 움을 파 음식과 기타 물건을 저장하기도 했다. 그들은 남경여직(男耕女織)의 생활을 하면서 황하 유역에서 찬란한 원시문화를 창조하였다. 그 문화가 바로 원조(元朝) 문화다 바로 자오지(慈烏支) 환웅, 즉 치우천왕이 제후국인 황제 헌원과 10년 동안 73회의 대전쟁을 승리로 이끌고 다시 제후국으로 복속시킨 바로 그곳이다. 밝달 환국의 중심지였다. 물로 잘 이긴 황토 판에 글자를 써서 이를 말려 전서(傳書)로 사용한 단군조선의 가림토 문자는 황화 유역을 근본으로 한 밝달 환국의 문자다. 천지 만물의 모양과 소리의 형태를 문자로 표현했다. 상형문자다. 그것이 전해진 것이다. 청동거울과 토기에 그려져 있었다. 갑골은 제례를 위해 그 표음을 사용했다. 명도전의 문자이다.

일명 황제의 땅–

이곳을 얻기 위해 단군총서를 보았던 그때 그 이후 근초고는 이십 년을 넘게 준비했다. 때마침 북부의 정세가 근초고대왕의 뜻에 알맞게 흘러갔다. 근초고는 연호를 늦게 정했다. 본격적으로 드넓은 내해 일원을 다스릴 방안이 필요하기도 했다. 연호부터 통일해야 했다.

태화(泰和)였다–

태(泰)는 뜻을 나타내는 아래 물 수, 즉 물의 흐름이 큰 것이다. 양손 모양, 음(音)을 나타내는 대(大)의 합자(合字)이니, 양손으로 물을 떠내는 일로 매끈매끈함의 뜻이다. 음을 빌어 편안한 모양의 뜻이 있으며 또 태(太)에 통하여 크다, 거만을 편다는 뜻도 있다. 태산불양토양(泰山不讓土壤), 즉 태산(泰山)은 작은 흙덩이도 사양(辭讓)하지 않는다는 뜻으로, 도량(度量)이 넓어 많은 것을 포용(包容)함을 비유(比喩)해 이르는 말이다. 태산양목(泰山樑木)이니 산 중(中)의 산인 태산(泰山)이나 지붕을 받치는 대들보처럼 의지가 되는 사람이나 의지할 수 있는 거룩한 것을 비유해 이르는 말이다. 태산준령(泰山峻嶺)은 큰 산이다. 태산지안(泰山之安), 즉 태산의 태연함과 같은 편안함이라는 뜻이다. 비극반태(否極反泰). 비운(非運)이 극한(極限)에 다다르면 행운(幸運)이 돌아오니 태(泰)는 앞 자로 적합했다.

화(和)는 본디 사람의 입의 모양을 본뜬 글자이다. 그 기능에서 먹다, 말하다의 뜻으로도 쓰인다. 의미가 깊다. 음(音)을 나타내는 화(禾)와 수확한 벼를 여럿이 나누어 먹는다는(口) 뜻을 합(合)하여 화목하다가 된다. 화(和) 하다는 서로 뜻이 맞아 사이좋은 상태다. 화목(和睦)한 것이요, 온화(溫和)한 것이다. 순(順)한 것이고 화해(和解)하는 것이다. 같을 때도, 서로 응할 때도, 합질 때도, 허가(許可)하는 것도, 모이는 것도 화(和)다 그래서 화답(和答)이다. 일본백제 정부 이름도 대화(大和)로 했었다. 악기 여러 개의 피리를 엮은 관악기, 배소의 일종인 화(和) 또한 그러하다. 모든 것이 더해진다. 그것이 화(和)이다. 상대되는 말이 전(戰)이다.

한성백제로 돌아와 연호(年號)를 태화(泰和)로 정하고 대전쟁을 준비했다. 치우천왕의 큰 뜻을 얻고 싶었다.

기회가 오고 있었다-

근초고가 대방 부여국을 친 직후 연나라에서 내분이 일어났었다. 근초고대왕의 북벌 이후 몸이 불편하다던 대칸 모용황이 그 이듬해에 죽었다.

연의 건국자 모용황은 자신의 다섯째 아들이며, 뛰어난 재능으로 모용황의 총애를 받았던 모용수를 후계로 하려 했다. 신하들의 반대가 많았다. 세자 모용준이 그런 모용수를 질시했다.

모용황이 죽자 모용준이 연나라 왕에 즉위했다. 그러자 모용수가 핍박을 당했다. 부인 단씨(段氏) 부족도 모용준의 황후 가족혼씨(可足渾氏)와 부족 전쟁을 치르고 있었다. 모용수의 부인 단씨(段氏)가 황후의 고문으로 죽었다. 그때까지 모용수는 계속 모용각에게 협력했었다. 모용각이 모용수를 껴안은 것이다. 그 때 모용각은 부견(赴堅)의 진(秦)나라와 충돌하고 있었다. 전쟁 통에 모용준이 죽고 그의 셋째 아들 모용위가 즉위하면서 삼촌인 모용수를 암살하려고 했다. 모용수가 진(秦)으로 망명해 모용위의 연나라를 공격하려 했다. 연나라 왕 모용위는 모용각에게 부견(赴堅)의 진(秦)나라와 대전쟁을 준비하게 했다.

연나라의 내분-

부견(赴堅)의 진(秦)나라는 모용수가 이끌고 간 모용씨족과 단부족이 합해지면서 더욱 강성해지고 있었다. 연나라의 내분을 틈타서 진(秦)의 부견은 고구려 고국원왕과 연대했다. 연(燕)나라는 누군가의 지원이 절실히 필요했다. 진(秦)의 부견은 먼저 진(晉)을 치고자 했다. 바로 백제의 제후국이 된 진(晉)과 연(燕)나라가 연대해야 했다. 진(秦)의 뒤에는 연나라가 있고, 그 연나라 뒤에 고구려가 있었다.

"연나라를 구해주소서."
"그래 진(秦)의 부견의 부대가 그리 강성한 것이냐?"
"모용수는 마치 그 옛날 백제의 무걸장군과 같이 용맹합니다 그 모용씨족과 단부족이 모두 진(秦)으로 넘어가 대극성도 위험해지고 있습니다. 더욱이 고구려의 움직임이 심상치 않습니다."

"모용각에게 진(秦)과 고구려를 함께 공격할 것이라 해라! 모용각에게 진(秦)의 부대가 장강으로 향하면, 바로 그때 진(秦)의 본거지를 공격하라고 해라. 짐이 고구려를 막겠다."

모용각 사신이 그 이야기를 듣고 감격해 했다. 드디어 근초고 군대가 움직이리라고 여겼다. 모용각은 누구보다도 근초고 군대의 위용을 잘 알고 있었다. 다만 대륙에서의 기마전에 능한 모용수와 부견의 대부대는 어찌 상대할꼬 생각하고 있었다.

이제 황하다-

근초고대왕은 대륙백제로 향했다. 위례성으로 배를 타고 갔다. 수군과 함께였다. 황하 일원에 대한 조사가 아주 면밀하게 이루어졌다. 역시 고구려가 문제였다. 고구려와 연나라는 오랜 악연이 있었다.

342년 겨울, 연나라의 모용황(慕容皝)은 화룡성(火龍城)으로 천도한 후 고구려를 쳤다. 고구려 고국원왕을 추격한 연나라는 모후 주씨(周氏)와 왕비를 포로로 잡았다. 그러나 북쪽 길에서 무(武)의 군대가 크게 승리했다. 연나라 군대는 퇴각했었다. 연나라는 퇴각하는 길에 미천왕릉을 파헤쳐 미천왕의 시신을 가져갔고 백성을 잡아갔다.

343년, 고국원왕은 모용황에게 신하의 예를 갖추고 잃었던 미천왕의 시신을 돌려받았다. 그리고 평양의 동황성(東黃城)으로 거처를 옮겼다. 345년에는 모용각(慕容恪)이 남소(南蘇)를 함락시켰다. 349년에는 연나라의 망명자였던 송황을 연으로 송환했다. 355년에 이르러서야 연나라에 간청하여 모후 주씨를 돌려받는 데 성공했다. 연나라로부터 책봉을 받아 정동대장군(征東大將軍) 영주자사(營州刺史) 낙랑공(樂浪公) 고구려왕(高句麗王)이 되었다. 이후 연나라는 서부에서 진(秦)의 공격을 받아 쇠퇴하기 시작했다. 진(秦)에 의해 대규모 공격을 당했다. 이때 고국원왕은 고구려로 도망쳐온 태부 모용평(慕容評)을 체포하고 진(秦)에 송환하여 진(秦)나라와 전략적 우호관계를 수립했다. 그리고 함께 연나라를 핍박하기 시작했다.

곧 공격할 것입니다–

고구려와 진(秦)의 연합군이 연나라를 공격할 것이다. 그 이후 백제를 공격할 상황이었다. 연나라는 내분으로 말미암아 멸망 직전이었다. 모용각이 근초고대왕에게 구원을 요청한 것도 그 이유였다. 자체적으로 고구려와 진, 그리고 연나라 반군을 동시에 상대하기엔 역부족이었다.

뒤를 친다-

고구려는 백제를 상대하기 위하여 준동할 것이 뻔했다. 그래서 근초고왕은 상륙함대를 늘렸다. 3함단으로 재편했다. 함단은 함선 칠백 척을 기준으로 전투함 이백 척과 상륙함이 삼백 척, 보급선이 이백 척으로 구성되었다. 상륙 기마대는 각기 이만 명씩이었다. 3함단은 일본열도와 나주벌 사이에, 2함단은 한성백제와 대방 사이에 있었고, 1함단은 황하와 장강 사이에 있었다. 전략은 전쟁이 급한 곳에 안정된 함단을 보강하여 일전을 치르고 이동하는 것이었다. 상비 전단인 셈이었다.

새로운 기술-

362년, 근초고는 자신의 칠성검을 본떠서 칠지도(七枝刀)를 태자 귀류에게 만들도록 했다. 그리고 각 제후국 왕들에게 하사하라고 했다.

일본백제 제후국 세자인 기왕(奇王)에게도 하사하였다. 칠지도(七枝刀)는 당시 백제가 제후국에 보낸 태자 귀류의 하사품이자 백제 기술의 상징이었다. 북두칠성의 정기를 받은 근초고대왕의 칠성검은 칼 본신에 여섯 가지를 더해 칠성을 상징했다. 최고의 기술을 발휘하여 만든 칼… 하늘의 빛, 태양에 비추면 그 검세가 놀라웠다. 찬란했다. 그 기세로 각 군을 다스렸다. 또한 백제의 철제 기술이 어떠한지를 널리 알려 감히 나서지 못하게 해주는 효과도 있었다. 칠성검, 칠지도는 근초고의 칠웅과 태자 귀류의 무절랑태자대를 지휘하는 지휘 검이자 근초고 군대의 상징이었다.

최강의 기술-

신무기를 가진 근초고대왕 군대의 활약이 눈부셨다. 일본백제에서는 고구려의 지원을 받은 성무천황(成務天皇)이 대화성을 공격하려 하자 태자 귀류가 이를 기다렸다가 완파시켰다. 그때 태자 귀류도 근초고처럼 신비한 빛의 검을 휘둘렀다.

적들은 하늘의 천신이 내려온 듯 저마다 혼비백산했다. 칼이 한 번 번쩍이면 온 세상이 빛나게 됐다. 적도 아군도 다 그

칼을 휘두르는 태자 귀류를 보고 벌벌 떨었다. 이때 전투가 너무도 장엄하였다. 이때부터 태자 귀류는 일본백제에서 응신천황(應神天皇)으로 불린다. 신(神)이 화답(應)하고 있는 응신천황을 누가 상대할 것인가. 당분간 고구려계가 일본열도를 어쩌지 못할 상황이 되었다.

고구려다—

대천관 신녀 대유현이 예상한 대로 일본백제에 이어 대방백제를 공격할 가능성이 매우 컸다. 고구려 고국원왕의 정복욕이 지나치게 강했다. 백제는 고국원왕의 공격을 예상하고 있었다.

태자 귀류, 구수는 이미 명을 받아 있었다. 곧바로 근초고의 상륙함대를 이끌고 대방백제로 향했다. 대륙 북부에서 고구려 예봉을 꺾어야 황하를 얻을 수 있었다.

한편, 부견(赴堅)의 진(秦)이 대륙 남부 백제 진(晉)의 성들을 공격하기 시작했다. 진(晉)은 백제에 구원을 요청했다. 백제 근초고는 최대한 기다렸다. 진(秦)의 부견이 무리하게 군비를 일으켰다. 진(晉)은 본디 황토 고원에서 일어났다. 그러다 진(秦)에 밀려 동쪽 장강 일원으로 나라를 옮겼던 것이다. 다시

진(秦)의 핍박이 시작되었다. 진(秦)이 진(晉)을 이렇게 쉽게 공격할 수 있었던 것은 동북방의 모용씨족 연(燕)나라가 내부 반란으로 멸망 직전에 있었기 때문이었다. 진(秦)을 모용씨족이 치면 바로 고구려가 그 연(燕)나라를 치게 되어 있었다. 뒤를 안심할 수 있게 된 진(秦)나라는 그러한 전략적 상황을 즐겼다. 서서히 진(晉)의 전역을 먹으려 하고 있었다.

가뭄과 태풍, 그리고 대홍수-

거기서 백제가 구했다. 그러면서 성(城)을 쌓았다. 그렇게 백성을 살리며 먹을 것을 주면서 진출한 것이다. 백제의 세력이 넓어지자 진(晉)의 슬픈 황제 애황제(哀皇帝)는 근초고 군대에 대항했다가 사라졌다. 폐제(廢帝)는 그동안 진(晉)의 황제가 제대로 없었다는 뜻이니, 그 연호도 근초고의 연호와 같은 태화(太和, 泰和)를 사용해 근초고의 제후국을 각 지역 성주들이 자처했다. 마침내 산성(山城)에 숨었던 황제 간문(簡文)에 이르러서야 백제 제후국을 자처하고 교역하였다. 간문은 모든 치세를 근초고에게 서신을 통해 물어서 했다.

天 하늘과
地 땅이
一 하나다

一 하나는
終 끝이
無 없는
終 끝으로
一 하나다

— 하나다

근초고왕은 마침내 자신의 뜻이 이루어진다고 생각했다. 지배하는 나라가 아닌 선도(先導)하는 나라. 그것이 바르고 밝은 문명의 백제 근초고대왕이 꿈꾸는 나라였다. 옛 단군조선이 그러한 것처럼. 근초고대왕은 장강 일원과 대륙 남동부 일원에서 그런 정복을 하고 있었다. 그런 울타리를 만들고 있었다.

진심으로 따르는-

백성의 아픔과 고통을 덜어주는 새로운 나라 그 밝은 나라를 따르라… 그러면 너희에게도 새날이 열리리니… 그 나라… 백성이 주인인 그 나라는 해상제국 대백제니라…

배성이 먼저 안다. 이미 장강 중류에서의 백성이 백제로 넘어가고 있었다. 교역하지 않으면 곧 나라가 저절로 넘어갈 판이었다. 진(晉)의 간문(簡文) 황제는 두려웠다.

고구려가 지원할 수 없다-

백제를 막고자 고구려와도 화친했었다. 그러나 부견(赴堅)의 진(秦)나라가 연나라 모용씨족을 경계하고자 고구려와 화친을 하면서 다시 틀어졌다. 연나라에 원한이 많았던 고구려는 진(秦)과 화친하며 연합군으로 연나라를 공격했다. 그런 상황에서 진(秦)이 진(晉)을 위협하자 진(晉)의 간문(簡文) 황제는 고구려와의 화친을 포기하고 근초고대왕에게 무릎을 꿇었다. 구원을 요청하고 있었다. 백제가 차라리 낫겠다고 생각한 진(晉)의 간문(簡文) 황제는 백제의 제후가 되었다. 그래서 간문(簡文) 황제다. 모든 것을 근초고의 재가를 받아서 처리했다.

그래서 기다린다-

진(秦)이 진(晉)을 치기 위해 장강에 이르기까지 기다렸다. 그리고 그 뒤를 치기로 했다. 장강 일원에서 모병한 칠만의 정예기동군이 근초고에게 있었다. 진(秦)은 진(晉)을 일거에 무너뜨리기 위해 너무 많은 군비를 동원했다. 대륙 벌판에 구십만 대군을 일으켰다. 보병부대가 거의 다 움직였다. 황하를 두고 보급 물품이 황하 인근 포구에서 진(晉)나라로, 남으로 보내지고 있었다.

거기 근초고 군대의 상륙 함대가 나타났다-

진(秦)의 황하 수비대가 대륙 백제군 진영과 근초고 군대의 사이에 끼게 된 것이다. 전쟁은 일순간에 벌어졌다. 황하에서의 전쟁은 근초고 군대의 위력이 그대로 나타났다. 황하 일원을 수비하던 성곽(城郭)들이 유화과(油火果) 화과탄(火果彈)에 불바다가 되었다. 처음으로 독 탄도 쓰였다. 시간이 급했다. 곧 고구려가 공격해올 것이었다. 대륙백제의 기마군이 황하의 진(秦)을 공격하면 바로 대륙백제를 뒤에서 노리고 있던 고구려가 침범할 것이 뻔했다.

예상대로였다-

고국원왕 사유(斯由)는 369년에 백제를 공격하였다. 치양(雉壤)에 이르는데 모용각이 고구려 수도를 공격하려고 군대를 움직였다는 말에 주춤한다. 협공을 당할 판이었다.

바로 그때 백제의 태자 귀류의 백제무절랑태자대(百濟武節浪太子隊)와 근초고 상륙부대 제1 함단이 치양 인근에 숨어 있었다. 고구려왕 사유(斯由)의 부대가 강을 건너지 못하고 모용각의 군대를 막기 위해 잠시 머뭇거리는 사이, 숨어 있던 태자 귀류의 부대가 공격했다. 백제군에게 고구려군이 크게 당했다. 고구려왕 사유는 기병을 무려 오천이나 살상당하고 대패하여 도망쳐야 했다.

태자 귀류는 고구려왕 사유(斯由)가 도망치자 근초고 상륙부대를 이끌고 즉시 황하로 이동했다. 모용각은 고구려왕 사유(斯由)를 쫓았다. 이제 고구려는 모용각이 충분히 막을 수 있었다.

황하는 둘째 왕자 귀선의 제2 함단이 이미 장악한 상태였다. 태자 귀류와 근초고의 오행장들은 제1, 2함단에서 전 병력을 상륙시켜 진(秦)의 배후를 치기 시작했다. 고구려와 진(秦)은 연(燕)과 진(晉)나라를 치려다가 백제의 양동작전(陽動作戰)에 걸렸다. 구십만의 진(秦)나라 보병부대는 후방 보급원이 차단되었다. 칠만 밖에 안 되는 근초고의 기마부대에 쫓겨나야 했다. 북쪽에서 삼만이 넘는 경기갑병대가 진(秦)의 배후를 치며 수도로 진격하고 있었다.

그렇게 해서 진(秦)은 황하의 기름진 동부 곡창지대를 백제에 다 넘기고 근거지를 찾기 위해 돌아서야 했다.

해상제국-

바야흐로 내해(內海) 일원을 다스리는 백제의 큰 그림이 그려진 것이다.

근초고대왕은 371년에 다시 백제를 공격한 고국원왕을 패하(浿河)에서 격파하였다. 10월에 고구려왕 사유(斯由)의 계속된 침범에 화가 난 백제 근초고대왕은 태자 귀류와 함께 평양성으로 진격했다. 한 달 만에 고구려왕 사유(斯由)를 죽였다. 고국(故國)의 들(原)에 장사지냈다. 그리하여 고구려왕 사유(斯由)를 훗날 고국원왕이라 했다.

근초고대왕은 대륙의 동부 일원의 밝달 환국의 옛 영토를 회복하고 거기에 일곱 태수를 두어 직할 통치하였다. 광양태수,

광릉태수, 청하태수, 성양태수, 낙랑태수, 대방태수, 조선태수였다. 한성백제에서 왕비 진하연이 왕궁을 새로 짓게 했다. 안학궁, 즉 태화궁이라 이름을 지었다. 내해를 통일한 기념이었다. 그래서 근초고대왕의 연호를 붙였다.

역사의 기록은 보물이다-

근초고대왕은 박사 고흥을 시켜 이를 다 기록하라 하였다. 근초고 자신이 가장 먼저 온고이지신(溫故而知新)의 원리를 깨달았다. 밝달의 의미를 새기게 하였다.

일본백제 본거지인 대화성이 있던 대판(大阪)에는 근초고대왕이 경행천황, 즉 비류왕의 태자였던 여걸걸, 걸대왕을 기념한 둔가(屯家)를 두었다. 근초고 부대의 주둔지였다. 상시 백제군대를 주둔시키기도 하였다.

대화 정부는 크게 셋으로 나누어 주길대신(住吉大神) 3명이 함께 관리하게 했다. 관리는 근초고대왕의 아들 중의 하나인 중애천황이 맡았다. 중애천황은 연희여황의 셋째 아들이었다.

일본백제에서는 각 소국(國)에 군장(君長)을 두고, 현읍(縣

邑)에 수거(首渠)를 두었다. 이때 근초고대왕의 조카, 즉 걸대왕의 아들들과 근초고대왕의 아들들, 즉 백제 왕자들에게 일본 땅을 분봉하였다. 수거(首渠)는 마한(馬韓)의 제도인 읍장 거수(渠帥)를 뒤집은 말이다. 백제 근초고대왕은 이렇듯 내해(內海) 일원을 하나로 묶었다.

근초고는 화폐를 통일하고 바다의 제국을 만들어냈다. 내해(內海) 일원의 백제는 역사상 가장 넓은 땅과 교통로를 가지고 가장 활발한 교역을 이루어냈다. 교류(交流)의 중심이었던 것이다. 교(交)는 사귀고 교제하는 것이다. 교통이고, 교역이며, 교류다. 근초고대왕은 인간이 서로 위하며 교류하기를 바랐다.

해상제국 대백제의 근초고대왕은 375년 고구려가 고국원왕의 한을 풀고자 수곡성을 침범해오자 대군을 일으켜 고구려를 아예 징벌하려고 했다. 그러나 흉년이 들어 힘들어진 백성의 고통을 먼저 생각해 이를 미루었다.

근초고는 태자 귀류를 똑 닮은 꼬마를 데리고 천기령으로 향하고 있었다. 태자 귀류가 낳은 아들, 침류다. 그 침류는 물어보는 것이 참 많았다.

"할아버지, 우리 백제는 어떤 나라예요?"

"어떤 나라?"

"예…"

"아주 큰 나라란다."

"얼마큼 큰 나라예요?"

"네가 생각하고 꿈꾸는 그 이상의 나라다."

"아이, 말도 안 돼. 내가 생각하고 꿈꾸는 나라가 얼마나 큰데…"

"얼마나 큰 데?"

"아주 크고도 더 크고…!"

"아니다. 그 보다 더 크다. 아니… 그보다 더 훨씬 더 컸다."

"얼마나 더 컸는데요?"

"세상에 어렵고 힘든 사람들을 다 품을 만큼 컸다."

"할아버지의 백제는 어떻게 시작했어요?"

"가우리다. 고구려. 그 나라를 보았다. 힘이 있었으나 꿈이 없었다. 그 가우리. 한가운데다. 우주의 중심. 저 하늘님이 계신 곳이다. 중심이다. 우리의 조상 중의 조상님이 계신 곳… 그 하늘의 높고 높은 큰 뜻을 펴기 위해 우리 조상님들이 세워온 이 땅의 나라다. 저기 해가 떨어지는 땅끝에서, 저 해가 다시 떠오르는 이쪽 땅끝까지. 밝게 빛나는 여기(麗起), 려(麗)의 세상이 가우리다. 광명천의 중심 세상이다. 그렇게 처음에는 고구려로 시작했다."

"고구려는 우리의 적인데."

"아니다. 원래는 한 형제였느니라!"

"그러나 고구려는 너무 편협했다. 자기밖에 몰랐다. 본디 가우리는 그렇지 않았다. 그래서 백제는 다시 더 큰 나라 밝달, 배달을 보았다."

"밝달요?"

"밝달 환국이다. 그래서 일본은 환(桓)을 풀어쓴 것이다. 하나(一)의 해(日). 태양이 본(本)인 나라, 그것이 일본백제다. 그래서 백제 일본국은 밝달 환국의 새로운 이름이다. 큰 땅 대륙백제와 하늘나라 신선의 나라인 한성백제와 같은 이름이다.

침류는 할아버지 근초고대왕이 좀 더 재미있는 애기를 해줄 줄 알았다. 그러나 싸움 애기는 안 해주고 계속 나라 이름만 가르쳐 준다.

"하늘은…"

"하늘은 하나고요… 둘은 땅이지요, 셋은 사람이고요."

"그건 잘 알고 있구나, 아느냐? 왜 그 하늘과 싸웠는지…"

"어, 왜 싸웠어요? 하늘과 싸울 수 있었어요?"

"그래, 이 할아버지는 하늘과 싸우고 싶었다."

"하늘과 싸운다?"

"천재지변을 일으키는 그 하늘을 이기고 더 큰 하늘의 뜻을 보고자 했다."

"너무 어려워요."

"그럼 쉬울 줄 알았느냐?"

근초고대왕은 아들에서 아비로, 이제 할아비가 되어서 아들의 아들을 본다. 다르다. 아들과 또 다른 아들. 마치 이 아이가 자신이 될 것 같다. 앞으로 가야 할 사람. 나는 가고 너는 남는다. 이제 너의 세상이 아닌가!

"고하 소도. 그 사람들. 불쌍한 그 아이들도 챙겨주십시오. 재주가 많습니다. 노예가 아니라 일하게 해주십시오. 사람답게 살게 해주십시오."

그렇게 간청했었다. 그래서 말을 관리하는 백제 양민 촌이 고하 소도 마가라는 이름으로 신궁 옆에서 살 수 있게 되었었다.

살기 위해서였다.

우리 식구들이 살기 위해서 그렇게 기마병하고 싸워야 했다.

이겨야 했다. 아니면 죽을 상황이었다. 하늘이 그렇게 시련을 주었다. 하늘은 시련을 주고 또 이기는 힘과 지혜도 준다. 다만 인간이 하늘의 뜻을 따라 바른 선택을 하느냐 못하느냐에 따라 달라지는 것일 뿐. 하늘의 길을 바르게 가면 된다.

"그렇게 살아야 했다. 살아야 뭔가 해볼 수 있었다."

"운이 좋았네요. 정말 운칠기삼이네…"

"아니다 운구기일이다. 운(運)이 아홉(九)이고 기(技)가 일(一)이다."

"와, 그럼 운을 기다리기만 하면 되는 거야? 그러단 구름(雲)되겠어요."

"이놈아, 운(運)은 사람을 따른다. 사람이 하는 것이다. 그것을 볼 줄 아느냐, 모르냐 일 뿐…"

"안다고 다 되는 것은 아니잖아요."

"그건 그렇다."

"왜 그렇게 불공평해요?"

근초고는 자신의 어미가 누워있는 천기령 제4 용소에 손자를 데리고 왔다. 자신과 함께 절을 하게 했다. 근초고의 하늘… 돌 제단에는 자신의 어미가 있었다. 자신은 운이 좋았다고 생각한다. 그러나 뒤돌아보면 자신을 위해 많은 이들이 함께했었다.

그들과 더불어 같이한 것이었다. 이 세상에 해야 할 일들이 꼭 있었다. 자신은 그 일을 했다. 해야 한다고 믿으니 그렇게 할 수 있었다. 그 믿음이 다른 사람들을 움직였고 해상제국 백제를 만들었다. 할아버지 근초고는 앞으로 새 시대를 열어갈 손자에게 이렇게 말한다.

“이 세상은… 더 새로운, 더 큰 꿈을 꾸는 사람의 것이다.”

근초고대왕은 375년 겨울 11월에 세상을 떠났다.

근초고대왕은 내해(內海) 전역에 걸쳐 교통의 연결점이고, 교역의 거점이며, 교류의 중심인 새로운 백제를 만들었다. 역사에 그리 기록되었다.

동이족 가운데 최대의 해상강국을 이룬 대백제국 근초고대왕. 그가 있었다.

마치면서

3~4세기 백제 유적이 북한강 유역 최상단 지역인 강원도 화천 원천리에서 무기류와 마구류도 다수 발견되었다. 주거지 겸 군사적 성격을 내포하고 있는 이곳 유적들은 역사계에서 백제 영역으로 구분되지 않던 곳이지만 [근초고대왕]에서는 백제 영토로 포함하고 있던 곳이어서 귀추가 주목된다. 일부 재야 사학자들을 제외하고 대부분의 백제사 역사학자들이 한강 이남을 백제 영토로 보고 있어 북한강 상류에서의 이번 대규모 백제 유적 발견은 새로운 전기가 되고 있다.

역사대하소설 근초고대왕은 그 3~4세기 황해를 내해로 여기고 대륙과 한반도, 열도, 대만 등 동아시아 일원을 경략한 백제 최대 전성기의 왕이다. 한강 이남 즉 충청과 호남 일원만을 백제라고 생각하고 있는 사고(思考)에서는 이해하기가 어렵겠지만, 소설 곳곳에 이제까지 백제 역사와 다른 대백제의 위대했던 이야기들이 펼쳐져 있다. 마치 이번 화천에서 발견된 백제 유물처럼 낯설지만 가슴 설레게 하는 대백제 이야기다.

역사대하소설 [근초고대왕]에는 기존의 역사소설에서 볼 수 없던 새로운 리더쉽이 등장한다. 문명이 발달한 오늘날에도 중국 대륙에 거대한 태풍이 연달아 2번 몰아치니 수천만 이재민이 발생한다. 고대 그 시절, 왕조가 일시에 무너지는 천재지변을 일으키는 하늘과 싸웠던 왕중의 왕이 바로 우리의 영웅 근초고다.

기존의 정복군주가 아니다. 칼과 창이 아닌 쌀 등 곡물과 소금, 약재와 약자에 대한 따뜻한 사랑으로 영토를 넓히는 것을 볼 수 있다. 소설에는 오늘날 유비쿼터스 개념으로 바라보면 딱 알맞은 고대 우리 민족의 음양 오행론을 바탕으로한 디지털 방식의 원형과 응용, 활용의 예들이 펼쳐져 있다. 특히 작품 전체에 녹여 있는 홍익인간의 이념은 오늘날 경제전쟁 속에서 인류의 빈부격차 해소를 위해 유비쿼터스 관계자 또는 그 기술이 어떠한 지향점을 가져야 하는지에 대한 모델이 되게 하고 싶었다.

칠지도(七枝刀) 칠자경(七子鏡)을 일본에 보낸 것으로 유명한 근초고대왕은 일본 교또(京都)의 히라노신사(平野神社)에는 제신(祭神)에 제일신(第一神) 금목신(今木神)이 일본무존(日本武尊)이고, 제2신은 구도신(久度神)인데 일본무존의 아들이며, 구도신(久度神)은 백제 상고왕(尙古王=近尙古王) 즉, 근초고대왕의 아들이라는 것이다. 여기서 상고왕(尙古王)은 조고왕(照古王), 즉 근초고대왕(近肖古大王)이다. 그래서 일본무존은 근초고다. 해(日)의 근본(本)을 이용한 정복군주라는 의미가 있다. 역사대하소설 근초고대왕에는 그래서 오늘날 광통신의 원류인 빛을 이용한 통신체계 등이 나온다. 또한, 황해 바다를 내해로 경략하기 위해서 함단을 운영하는 방식이 언제 어디서나 동시에 존재하는 유비쿼터스 개념으로 미군 부대 운용의 법칙이 근저에 깔려 있다.

Ubiquitous의 언어적 의미가 라틴어에서 유래한 것으로 `도처에 널려있다`, `언제 어디서나 동시에 존재한다`라는 의미로 사용하며, 일반적으로 물, 공기처럼 도처에 편재해 있는 자연자원, 종교적으로는 신이 언제 어디서나 시공을 초월하여 존재한다는 것을 상징할 때 이용되고, Ubiquitous 정보기술(IT)의 기본개념이 다종 다양한 컴퓨터가 현실세계의 사물과 환경 속에서 스며들어 상호 연결되어 언제, 어디서나 이용할 수 있는 인간, 사물, 정보 간의 최적 컴퓨팅 환경이며, 나아가 IT기술과 센싱기술의 발달로 많은 정보통신기술활용화 부분들이 실험단계를 넘어 실현단계에 이르고 있다.

생활, 경제, 군사, 의료, 복지, 행정 등의 많은 부분에 유비쿼터스 기술 혁명이 일어나고 있는 것이다. 언제 어디서나 동질의 최적화된 서비스를 받을 수 있는 세상. 어쩌면 근초고대왕은 당시 그 시대에서 그런 세상을 꿈꾸었던 정복 군주요, 대 경략가가 아니었나 싶었다.

유비쿼터스 신기술이 펼치려는 세상은 어떤 세상인가?

근초고는 끊임없이 밝은 세상, 밝달 환국의 재세이화, 홍익인간의 세상을 꿈꿔왔다. 오늘날 중국과 일본, 남북한이 황해를 중심으로 서로 경쟁하며 또 협력하고 있다. 동아시아는 경제적으로 그 신장세가 가장 눈부신 세계 경제의 각축장이다. 여기 한·중·일이 있고 아시아인들이 살고 있다. 약 1,700년 전 근초고 시대도 그러했을 것이라고 가정했다.

동아시아인들의 공동체의 새로운 리더, 1등이 있어서 그 1등을 쫓아가면 되는 그런 시대가 아닌, 다른 나라들을 선도하는 진정한 선진국이 되기 위해서는 바람직한 지표, 지향점이 있어야 한다.

근초고는 막연하게 백제 최대 전성기를 연 왕으로 알려져 있다. 우리는 백제가 얼마나 부강한 국가였는지 얼마나 막강한 강병을 보유했는지는 잘 모르고 있다. 역사를 잊은 민족의 미래는 없다.

천재지변으로 왕조가 무너지고 홍수와 가뭄으로 사람이 사람을 잡아먹었다는 그 시대, 무너진 백성의 가슴을 따스하게 감싸안은 왕. 100만 강병.

그런 근초고대왕을 그리고 싶었다. 그는 바다를 건너 물산을 나르고 그 문물로 정복활동을 한 진정한 정복자, 천재지변을 일으키는 하늘과 맞선 유비쿼터스 대왕이었으면 했다.

오늘날 유비쿼터스와 새로운 시대를 연구하는 많은 사람에게 근초고는 우리에게 새로운 꿈, 더 큰 꿈을 가지라고 한다. 그리고 어떻게 그 꿈을 이루어 나가는 지 보여주며 그리하라고 한다.

근초고의 대백제 이야기는 오늘날 우리가 살아가야 하는 이야기이기도 하다. 우리가 동아시아, 나아가 인류공영에 이바지하면서 우리의 실익과 번영을 꾀할 수 있는 [한민족 선도국가론]의 방법을 유비쿼터스적 개념으로 근초고대왕을 통해 제시하고 싶었다.

이렇게 무사히 마칠 수 있어서 함께 해준 모든 이들에게 감사의 인사를 전한다.

百濟
동아시아 대왕 근초고
윤영용
East Asian Great King
Geunchogo